JH의 서평쓰기

JH의 서평쓰기

― 쉽게 다가오는 서평 ―

김 종 협 저

부크크

독자에게 드리는 글

요즘 독서모임을 하는 사람들이 늘고 있다. 책을 좋아하는 직장 동료들 간의 모임이던지 공공도서관을 통한 독서모임 같이 함께 책을 읽고 토론하는 모임들을 흔히 접하게 된다. 독서모임은 나와 다른 사람들의 생각과 의견들을 청취할 수 있어 매력적이다. 하지만 아쉬운 점이 있다. 많은 사람들이 느끼는 점이 모임 시간이 지나면 남는 것이 없어 안타까워 한다는 것이다. 독서모임을 하는 사람들이 늘 느끼는 심정이다.

이런 아쉬운 점을 해결하는 것이 서평쓰기이다. 독서모임 때 내 머릿속에 머무르던 생각과 감상들을 그대로 글로 옮기면 되는 것이다. 전문가의 글쓰기 방법이 꼭 필요한 것은 아니다. 내가 직접 글쓰기를 해보는 것이다. 끈기있게 계속해서 글을 쓰는 방법이 최선이다. 타인의 시선과 관심에 신경쓸 필요는 없다. 책에서 느낀 점인 자신의 진심을 그대로 반영해서 쓰면 된다. 쓰다 보면 자신도 모르게 나아지는 면을 발견하게 된다. 매일 글쓰기를 하는 꾸준함이 서평쓰기의 가장 합리적인 방법임을 알게 된다.

나는 글쓰기는 음식 요리법을 익히는 것과 비슷하다고 생각한다. 유명한 세프들의 레시피와 요리법의 원리를 공부한다고 해서 요리를 바로 잘 할 수 있는 것은 아니다. 물 조절, 불의 강약, 재료들의 순서 등 본인이 피부로 느껴질 때까지 몸소 훈련을 해야 한다. 전문가들이 말하는 글쓰기의 방법, 꼭 익혀야하는 글쓰기의 규칙, 글쓰기의 완전 정복 등은 요리의 레시피와 같아서 그저 참고할 뿐이다. 본인이 직접 계속해서 글 쓰는 연습을 익히는 것이 제일 중요하다.

이 책은 논술 시험과 같은 논리적인 글쓰기를 말하는 것이 아니다. 책을 읽고 자신이 느낀 생각과 주장을 솔직하게 그대로 글로 표현하면 된다. 글이 누구든 이해하기 쉽도록 쓰면 되는 것이다. 읽기에 쉬운 글이 독자들도 이해하기가 편하다. 굳이 전문가다운 글쓰기를 모방하거나 인용할 필요가 없다.

더 많은 책을 접하고 읽고 쓰면서 조금씩 변화하는 나에 대해서 기쁨을 느끼고 있다. 이렇게 얻은 자신감으로 쓴 이 책이 독자들과의 만남을 통해 조금이나마 도움이 되기를 바란다. 감사합니다.

김종협

차 례

1장

자기 앞의 생

편견과 소통
레이먼드 카버, 대성당

　예전에 독서모임에서 "『대성당』을 읽어 보았는가?" 라고 질문하는 회원이 있었다. 그 땐 읽지 않아서 무척 궁금해서 찾아 읽어야지 마음 먹었는데, 이제야 읽게 되었다. "의심의 여지 없이 레이먼드 카버는 나의 가장 소중한 문학적 스승이었으며, 가장 위대한 문학적 동반자였다." 라고 무라카미 하루키는 극찬하기도 했다. 또한 비평가들이 『대성당』을 일러 가장 완벽한 단편으로 운운하기도 했다. 레이먼드 카버의 『대성당』 (김연수 옮김, 2014, 문학동네)의 김연수 번역본을 읽어본다. 도대체 어떤 작품이기에 레이먼드 카버의 책을 읽어라고 권유했는지...

레이먼드 카버는 1938년 미국 오리건 주 클래츠커니에서 태어났다. 1959년 치코 주립대학에서 문학적인 스승인 존 가드너를 만나 소설을 배운다. 이듬해 문예지에 첫 단편소설 『분노의 계절』이 실린다. 1963년 험볼트 대학에서 문학사 학위를 받고, 아이오와 주로 이사하여 아이오와 작가 워크숍에 참여한다. 1983년 그의 대표작이라 평가받는 『대성당』을 출간하면서, 전미도서상과 퓰리처상 후보에 오른다. 저서로는 『제발 조용히 좀 해요』, 『사랑을 말할 때 우리가 이야기하는 것』, 『밤에 연어가 움직인다』, 『울트라마린』 등이 있다.

『대성당』에는 총 열두 편의 단편소설이 수록되어 있다. 이 중 단연코 한편을 고르라면 『대성당』일 것이다. 화자의 아내에게는 오래전부터 알고 지낸 맹인 친구가 있다. 어느 날 아내는 이름이 로버트인 그 맹인 친구가 곧 그들을 방문한다고 말한다. 화자가 아는 맹인이라고는 영화에서 본 사람들 뿐이다. 아내는 오래된 친구를 따뜻하게 맞이한다. 하지만 화자인 나는 모든 게 익숙하지 않고 불편하기만 하다. 저녁 식사가 끝나고, 아내는 잠이 들고, 맹인인 로버트와 나는 단둘이 남는다.

레이먼드 카버의 『대성당』에 나오는 소설 속의 공통점은 소통과 공감을 이야기하면서 감동을 준다. 자신의 좁은 공간에서 벗어나 비로소 타인과 세계의 목소리를 듣는다. 그 목소리를 통해 뭔가를 보게 된 사람들의 이야기를 다룬 단편집이다. 『별것 아닌 것 같지만, 도움이 되는』 단편에 나온다. "그들은 이른 아침이 될 때까지, 창으로 희미한 햇살이 높게 비칠 때까지 이야기를 나눴는데도 떠날 생각을 하지 않았다." (p.128) 아들을 잃은 슬픔까지도, 빵집 주인의 외로움과 중년의 한계까지도 이야기를 하면서 서로 공감하면서 이해를 하는 것이다. 폐쇄된 공간 속에 갇혀 외부의 소리를 듣지 못하는 보통 사람들의 이야기를 『대성당』에서는 만날 수 있다.

　소설 들 중 『대성당』에서는 편견과 소통에 대해 말한다. 화자인 나는 평소 맹인에 대해서 아는 것이 별로 없다. " 언젠가 맹인들은 담배를 피우지 않는다는 글을 읽은 적이 있는데, 자기가 내뿜는 연기를 볼 수 없기 때문이 아닐까 하는 이유에서였다." (p.297) 이를테면 맹인이 아닌 자가 맹인에 대해 갖고 있는 생각들은 모두 편견의 테두리에서 벗어나질 못한다. 이런 편견을 『대성당』의 말미에서 자연스럽게 깨어지는 느낌을 받는다. 주인공 화자와 맹인인 로버트가 직접 몸으로 체험하면서 편견은 자연히 녹아내린다. "나는 여전히 눈을 감고 있었다. 나는 우리집 안에 있었다. 그건 분명했다. 하지만 내가 어디 안에 있다는 느낌이 전혀 들지 않았다. 이거 진짜 대단하군요. 나는 말했다." (p.311)

둘이 손을 포개어 잡고 펜을 들어 대성당을 그리면서 영원히 잊을 수 없는 체험을 하게 된다. 맹인에 대한 편견이 대성당을 그리면서 자연스럽게 없어지는 과정을 주인공은 감지한다. " 내 손이 종이 위를 움직이는 동안 그의 손가락들이 내 손가락들을 타고 있었다. 살아오는 동안, 내 인생에 그런 일은 단 한 번도 없었다." (p.311)

레이먼드 카버의 열두 편의 단편소설에는 저자의 깔끔하고 군더더기 없는 언어 묘사가 특징이다. 문학적 스승 존 가드너에게 배운 작가의 역량과 깊이가 대단함을 느낄 수 있다. 읽기에 좋은 단문의 깔끔함이 있지만, 그 만큼 소설 속에 담긴 깊은 의미를 찾는데 어려움이 있는 단점 또한 있다. 그래서 『대성당』에 수록된 단편들이 뛰어나다는 평을 받는 것일까? 옮긴이 김연수 작가의 말처럼, " 그게 과연 무엇인지는 독자들의 몫으로 남는다." 에서 그 의미를 상상해 본다. 지금에서라도 '가장 완벽한 단편' 으로 평가 받고, 미국 단편소설 르네상스를 주도한 리얼리즘의 대가 레이먼드 카버의 대표작을 접한 것만이라도 벅찬 기분을 만끽하게 된다.

生(생)

에밀 아자르, 자기 앞의 생

프랑스 작가 로맹가리가 에밀 아자르라는 가명으로 집필한 소설이 있다. 에밀 아자르의 『자기 앞의 생』 (용경식 옮김, 문학동네,2015)이다. 인간에게 생이 무슨 의미인지를 프랑스에서 소외된 인물들을 소재로 표현하고 있다. 어린 소년 모모의 시선에서 어른들의 위선, 불합리한 사회분위기를 풍자한다. 그런 사회 속에서 사람들의 인생과 사람과의 관계에 대해 심오하게 그려낸다.

로맹 가리(에밀 아자르)는 1914년 모스크바에서 유대계 러시안으로 태어나 프랑스인으로 살았다. 2차 세계대전 당시 비행중대 대위로 참전하고, 참전 중 쓴 첫 소설 『유럽의 교육』으로 1945년 비평가상을 수상한다. 1956년 『하늘의 뿌리』로 공쿠르 상을, 1962년 단편 『새들은 페루에 가서 죽다』로 미국에서 최우수 단편상을 수상했다. 1975년 에밀 아자르라는 이름으로 『자기 앞의 생』을 발표해 공쿠르 상을 수상한다. 1980년 자신이 에밀 아자르라는 내용을 밝히는 유서를 남기고 권총 자살로 생을 마감한다. 한 작가에게 두 번 주지 않는다는 공쿠르 상을 중복 수상하는 전무후무한 기록을 남겨, 세계 문학계에 파문을 일으켰다.

로자 부인은 유태인으로 아우슈비츠에 끌려갔다가 기적적으로 살아나 삶을 꾸려나가기 위해 창녀로 일했다. 그녀는 나이가 들어 더 이상 일을 할 수 없게 되자 창녀들의 아이들을 맡아 기른다. 그리고 로자 부인에게 맡겨진 모모로 불리는 아랍 소년 모하메드가 성장하면서 겪는 이야기이다. 모모는 삶이 주는 험한 교훈을 어린 나이에 경험하게 된다.

저자는 『자기 앞의 생』의 주인공 로자 부인의 삶과 죽음의 의미를 고찰한다. 모모의 유일한 보호자인 로자 부인은 늙고 병든 채 점차 죽음을 향해 나아가고 있다. 하지만 그녀에게 죽음은 단순한 '사라짐'의 의미가 아니다. 그녀에게 죽음은 고통 받았던 현실의 삶과 비교해 결코 추하지 않은 해방 같은 죽음을 의미한다. 저자는 이 과정을 가장 가까이에서 지켜본 모모만이 그녀의 병과 죽음의 의미를 정확히 이해하는 것으로 그려내고 있다. 로자 부인의 죽음은 작가인 에밀 아자르의 삶(권총 자살)과 연관 지어 살펴보면, 그 시대 사회에 대한 비판적 시선의 함축적 의미까지 살펴볼 수 있다. 유년 시절에 어머니와 단둘이 러시아에서 프랑스로 이주해서, 외롭게 성장했던 에밀 아자르에게 정체성은 중요한 화두로 작용했으니까. 그것은 작가 자신의 개인적인 문제를 넘어선 소외, 고독, 전쟁, 불평등 같은 사회 문제와 맞닥뜨리게 된다.

이 소설은 제2차 세계대전이 끝난 후 프랑스 사회에 남겨진 사회적 문제들을 어린 모모의 시선으로 바라보고 있다. 로자 부인은 전쟁 당시 폴란드 출신 유대인이라는 인종적 한계를 경험했고 창녀라는 신분적 한계로 인해 늘 억압과 고통의 삶을 살아왔다. 그래서 그녀에게 현실의 삶은 결코 행복한 것이 아니었다. " 나는 늙은 유태인이다. 그동안 나는 한 인간이 당할 수 있는 온갖 끔찍한 짓을 다 당했다."(p.278) 유태인이라는 이유로 아우슈비츠에 강제로 수용된 끔찍한 기억을 갖고 있는 로자 부인의 삶은 슬프다. 로자 부인이 이제 천천히 죽어가기 시작한다는 사실을 받아들인 모모는 끝까지 함께하며 돌봐준다. "우리가 세상에서 가진 것이라고는 우리 둘뿐이었다." (p.232) 모모는 로자 부인를 파괴해가는 것은 다름아니 生(생)이라고 생각했고 그것은 견딜 수 없는 고통으로 다가왔다. 로자 부인을 이 세상에 태어나게 한 것은 생이지만 그녀를 죽게 만든 것도 생이라는 사실을...

로자 부인의 병과 죽음은 주변 사람들의 안타까움과 연민을 유발하곤 한다. 병들어 늙어가는 노친네에게 주변에 관심을 가져주는 사람이 있다는 것은 다행스럽다. 로자 부인을 정성껏 진찰해주는 카츠 선생님, 금전적인 도움을 주는 마음씨 좋은 롤라 아줌마, 7층까지 로자 부인을 고이 모셔다주는 자움 씨네 형제들이 있다. 그리고 왈룸바 씨가 동료 다섯을 데려와 로자 부인을 위해 노래와 춤을 춰 준다. 그다지 풍요로운 삶을 살아가는 사람들이 아닌, 소시민들이 로자 부인 곁을 지키며 알게 모르게 그녀를 보살핀다. 사회적으로 소외되고 약한 사람들이 서로의 밑바닥 처지와 고통을 충분히 알기 때문인가?

"내가 삶을 선택했다기보다 삶의 대상이 되었다는 느낌이다." 이 소설 끝에 나오는 『에밀 아자르 삶과 죽음』에서 저자는 말한다. 그리고 자살로 생을 마감한 저자가 남긴 마지막 쪽지에는 다음과 같이 쓰여 있다. "나는 마침내 나를 완전히 표현했다." 우리 생의 이면에 있는, 삶에 대해 고민이 생긴다면 이 책 『자기 앞의 생』을 읽어 보시기를...

가치있는 삶

루이제 린저, 삶의 한가운데

인생을 살아가면서 겪게 되는 사랑과 좌절, 삶(생)에 대한 집념이 응축되어 나타난 작품으로, 시대를 초월한 영원한 고전이 있다. 루이제 린저의 『삶의 한가운데』(박찬일 옮김, 민음사, 2015)가 그것이다. 자유를 향한 강렬한 의지로 자기만의 길을 걸어간 여자 '니나 부슈만'이라는 인물은 현대를 살아가는 우리 모두에게 잊히지 않는 영원한 삶의 모델이다. 이 작품에는 이야기, 일기, 편지, 회상, 여주인공의 창작 등 여러 형식을 서로 혼합해서 의식적이고 독특한 문체 구성을 시도한다.

루이제 린저는 1911년 독일 바이에른 주 피츨링에서 태어났다. 1940년 첫 장편소설 『유리의 파문』을 출간했다. 1944년 반나치즘 활동을 했다는 이유로 체포되어 종전 때까지 감옥 생활을 했다. 그리고 1945년부터 1953년까지 〈노이에 차이퉁〉의 문예 비평가로 활동했다. 사회, 정치 문제에 적극적으로 개입하여 인본주의, 정의, 자유를 옹호했다. 저서로는 『감옥 일기』, 『늑대 포옹』, 『완전한 기쁨』, 『잔잔한 가슴에 파문이 일 때』, 『고독한 당신을 위하여』 등이 있다.

의사 슈타인에게 정반대 기질을 지닌 니나 부슈만이 나타난다. 슈타인은 니나가 아직 어린 소녀이던 때부터 성숙한 여인으로 성장하기까지 18년 동안 그녀의 인생 곁에서 지켜본다. 슈타인은 니나를 자신의 목숨과도 바꿀 만큼 사랑한다. 니나는 다른 남자와 결혼하고 또 다른 남자의 아이를 임신한다. 그녀는 나치즘과 싸우다 투옥되고 자살을 기도하고 아주 다양한 삶을 살아간다. 소설은 슈타인이 니나라는 한 여자를 통해서 삶의 온갖 잔혹한 이면들을 경험하면서 순간 순간을 고통 속에서 바라보는 시선으로 전개된다.

이 소설은 먼저 우리가 추구해야 할 이상적인 삶이란 무엇인가라고 질문을 던진다. 많은 사람들이 현실의 끈을 자르지 못하고 매인 삶을 살아간다. 이는 갈수록 촘촘하게 짜여진 현대사회에서 더욱 분명해지며 우리들이 행복할 수 없는 이유이기도 하다. 평범하고 안락한 삶을 벗어나려 할 때 닥쳐오는 외부의 위협과 내부의 저항은 개인에게 상당한 용기를 요구하지만 이를 감당하기란 쉽지 않다. 이상적인 삶이란 객관적으로 위대한 삶이 아니라, 주인공 니나처럼 현실의 어려움과 곤란을 극복하고 자신의 의지대로 살아가는 삶을 의미한다. "나는 나에게는 없고 그녀에게만 있는 그녀의 순수하고 강한 특성들만을 사랑하는 것이 아닐까? 다름 아닌 그녀의 용기와 생에 대한 집요한 호기심, 단호함을 말이다." (p.160) 슈타인은 위대한 사상과 인격을 가졌어도 자신의 삶을 움켜쥐지 못한 데 대하여 한탄한다. 인생이란 무엇이길래 의지로 불타오르는 인간을 변화시키고 인간이란 또 얼마나 나약한 존재이길래 자신의 삶의 주인으로 살지 못하고 삶에 의해 살아지게 되는가를 저자는 보여준다.

소설 속의 소설인 〈한나 B의 이야기〉는 니나의 언니의 독서를 통해 전개된다. 이 책 속의 소설은 작가인 니나의 창작에 임하는 태도를 보여준다. 이는 다름아닌 루이제 린저의 창작관의 한 일면을 보여주는 것이다. 저자는 소설 속의 니나의 입을 빌려서 소설의 형식에 관한 자기의 의견을 피력한다. "결혼도 결말이 아니고, 죽음도 결말이 아니다. 생은 계속 흘러가는 거야. 모든 것은 혼란스럽고 무질서하고 아무 논리도 없으며, 모든 것은 즉흥적으로 생성되고 있어." (p.149~150) 하지만 니나는 사람들은 거기서 한 조각을 끌어내서는, 간단하게 해버리는 인간이 싫다고 비난한다. 모든 것은 무섭게 갈피를 잡을 수 없는 복잡함을 지니고 있는데도 불구하고 말이다.

또한 이 소설에서 빼놓을 수 없는 감동적인 것은 〈안락사 문제〉에 대한 토론 장면이다. 니나는 국가와 사회에 아무런 도움을 주지 못하는 불치의 병자들을 안락사시킬 수 있다는 대다수 동료 학생들의 견해에 반대한다. 불치의 병자이면서도 사회에 가치 있는 일을 하는 경우도 있고, 건강하지만 반사회적인 사람도 있다는 것을 주장한다. 그러면서 '정신병을 앓았던 19세기 독일의 시인(휠덜린)도 죽였겠군요' 하며 분노한다. "전체 민족을 위해 병든 사람들을 박멸한다는 것. 기준이 되는 것은 뭐죠? 모든 인간은 자기 나름대로 가치를 가지고 있어요." (p.213) 이는 루이제 린저가 국가반

역죄로 체포되어 트라운슈타인 여성교도소에 수감되는 등의 저자의 히틀러 시절 반나치즘 투쟁을 주인공 니나를 통해 표현 하고자 하는 것인가?

출간되었을 당시 주인공 니나를 추종하는 수많은 여성들을 통해 '니나 신드롬'을 불러 일으킬 정도로 유명세를 탄 책이다. 삶이 녹록하지 않고 조금은 무기력에 빠져 일상을 보내고 있다면 『삶의 한가운데』을 읽어 보시기를 권한다. 어떻게 살아야 하는지, 가치있는 삶이란 무엇인지를 스스로 성찰하게끔 하는 소설이기 때문이다.

열정은 글쓰기와 같다
아니 에르노, 단순한 열정

노벨위원회는 2022년 노벨문학상 수상자로 '아니 에르노'를 선정하고, 그 선정 이유를 다음과 같이 밝혔다. "사적인 기억의 근원과 소외, 집단적 억압을 용기와 임상적 예리함을 통해 탐구한 작가이다." 아니 에르노는 임신 중단, 빈곤 등 자신의 경험을 소재로 삼은 글쓰기로 사회적 불평등을 폭로해 왔다. 아니 에르노의 대표작인 『단순한 열정』(최정수 옮김, 문학동네, 2022)을 읽어 본다.

아니 에르노는 1940년 프랑스 릴본에서 태어나 노르망디 이브토에서 성장했다. 루앙 대학교에서 문학을 공부한 문학교수이다. 1974년 『빈 옷장』으로 등단했고, 『자리』로 1984년 르노도상을 수상했다. 2008년 발표한 『세월들』로 마르그리트 뒤라스상, 프랑수아 모리아크상을 수상했다. 2011년 『삶을 쓰다』가 생존 작가로는 최초로 갈리마르 총서에 편입되었고, 2022년 노벨문학상의 수상자로 내정된다. 저서로는 『부끄러움』, 『탐닉』, 『집착』, 『칼 같은 글쓰기』, 『남자의 자리』, 『사진의 용도』 등 다수가 있다.

『단순한 열정』은 한 여인의 범상치 않은 사랑 이야기이다. 주인공은 한 남자를 만나 사랑에 빠지고 시간이 흘러 그와 헤어진다. 하지만 그 사랑이 남겨둔 기억들을 반추한다. 회상 하면서 그 사랑이 폭풍과도 같은 열정적인 사랑임을 깨닫는다. 이는 그녀의 일상과 몸과 정신과 영혼을 완전히 뒤엎어 놓는다. 넋이 나간 듯한 상태로 하루하루를 보내고, 사소한 것이라도 그 남자와 관련된 이야기에는 온 신경이 쏠린다. "A를 기다리는 것 외의 다른 일에 조금이라도 정신을 빼앗겨 마음을 흐트러뜨리고 싶지 않았기 때문이다." (p.15)

아니 에르노는 작가로서의 자의식을 강하게 드러내며 성

본능을 예술혼과 동등한 자리에 놓음으로써 문학으로서의 지위를 구축한다. 육욕에 휘둘리는 중년 여성의 감정적 배설 정도로 전락하는 소설이 아니다. 사랑의 몸짓 하나하나까지 사회적 통념을 염두에 두지 않고 그대로 드러낸 것은 관음증, 노출벽이 아니라 내적 필요에 따른 욕구 때문인 것이다. " 가끔, 이러한 열정을 누리는 일은 한 권의 책을 써내는 것과 똑같다는 느낌이 들었다. 몇 달에 걸쳐서 글을 완성한 후에는 죽어도 괜찮다는 생각이 드는 것처럼, 이 열정이 끝까지 다하고 나면 죽게 되더라도 상관없을 것만 같았다." (p.19~20) 주인공에게는 글쓰기는 내면의 해방구이자 자신을 찾는 작업이고, 삶의 매 순간을 증명해 주는 증거인 것이다. 저자인 에르노는 소름 끼칠 정도로 냉정함으로 자신이 겪은 사랑을 도덕적 판단을 유보한 채 낱낱이 써나갔던 것이다. 어쩌면 저자는 글쓰기라는 행위를 통해 잊힐 수밖에 없는 사랑의 기억을 영원히 붙잡아두려고 했던 것이지도 모른다.

치매에 걸려 세상을 떠난 어머니의 죽음 후에 쓴 『한 여자』, 출신 성분에 대한 인식을 갖게 한 아버지에 관한 책 『자리』, 그리고 자신의 낙태 경험을 토대로 쓴 『사건』에 이르기까지 모두 에르노 자신이 겪은 이야기이다. 삶 속에서 일어나는 파격적인 소재를 다루지만, 굉장히 날카롭고 생생한 언어로 표현한다. 한 문장 하나하나가 정말 그 사람의 내밀한 독백같고 누군가가 고해성사할 때 하는 고백처럼 들린다. 노벨문학상 수상 기념 기자회견에서 아니 에르노는 말했다. "여성과 억압받는 사람들의 권리를 위해 투쟁하겠다. 앞으로도 글쓰기를 통해 불의와 맞서 싸우겠다." 우리가 실제로 경험하지 못하면 이해하기 어려운 것들을 저자는 매우 현실적인 글쓰기 방식을 취한다.

"내가 경험하지 않은 것은 쓴 적이 없다"라고 주장하는 아니 에르노의 작품을 만나보시길 권한다. 노벨문학상은 한 작품에 주는 상이 아니라 작가에게 수여하는 상이기에, 아니 에르노의 수많은 작품 중 어느 한 작품을 읽어도 그녀의 진정한 매력을 느낄 수 있다. 역사, 사회를 향한 작가만의 시선을 가공이나 은유 없이 정확하게 담아내는 작품세계를 구축해 온 작가이기 때문이다. 동서양을 초월하여 인간의 공통된 정서인 열정을 아니 에르노의 작품에서 공감해 보시기를...

"弱肉強食 風塵時代" (약육강식 풍진시대)
김훈, 하얼빈

2년 전에 김훈의 단편소설 『화장』을 읽고 매우 감동적인 경험을 한 적이 있다. 작가 특유의 사물과 사람에 대한 묘사가 섬세하고 구체적이었기 때문이었다. 그리고 누구도 쉽게 말을 꺼낼 수 없는 일들에 대해서 가차없이 매우 차분하고 자세히 설명해 주어서 좋았다. 김훈의 장편소설 『하얼빈』 (문학동네, 2022)이 신작으로 나와 기쁜 마음으로 집어 들었다. 안중근이 이토 히로부미를 죽이기까지 일주일 그리고 검찰 조사와 법정 신문을 거쳐 형장의 이슬이 되기까지의 여정을 그린 작품이다.

김훈은 1948년 서울에서 태어나 오랫동안 신문기자 생활을 했다. 장편소설 『칼의 노래』로 2001년 동인문학상을 수상했으며, 단편소설 『화장』으로 2004년 이상문학상을 수상했다. 저서로는 『빗살무늬 토기의 추억』, 『현의 노래』, 『개』, 『남한산성』, 『공무도하』, 산문집 『풍경과 상처』, 『자전거 여행』, 『내가 읽은 책과 세상』 등이 있다.

『하얼빈』은 '안중근 의사의 이토 히로부미 저격 사건'이라는 역사적 사건을 묘사하고자 하는데 중점이 있는 것은 아니다. 『칼의 노래』가 명장으로서 이룩한 업적에 가려졌던 이순신의 요동하는 내면을 묘사했던 것처럼, 『하얼빈』은 안중근에게 드리워져 있던 영웅의 그늘을 걷어내고 그의 가장 뜨겁고 혼란스러웠던 시대에 직면했던 안중근의 내면에 초점을 두고 있다. 안중근의 생애 중에서 극히 일부만을 다루고 있지만, 거사를 하고 사형을 당하기까지 5개월 정도의 시간 배경을 소설에 담은 것이다.

소설의 제목이기도 한 '하얼빈'이라는 장소는 어떤 곳인가? 이곳은 동서양 제국주의 세력이 교차되는 주요 거점으로 숙명적으로 만날 수밖에 없었던 장소이다. 하얼빈은 철도의 교차점인데 대련에서 하얼빈으로 오는 남만주 철도(일본 세력), 블라디보스토크에서 만주를 가로질러 하얼빈으로 오는 러시아철도가 만나는 장소이다. 세계 거대 세력이 만나는 아주 상징적인 의미를 지닌 하얼빈인 것이다. "하얼빈은 만주의 중심이다. 이토는 대련에서 북상해서 오고 우리는 우라지에서 서행해서 하얼빈으로 간다. 러시아 재무장관 코콥초프는 모스크바에서 하얼빈으로 온다." (p.114) 그런 의미로 하얼빈이 상징성을 지닌 단어로 제목에 딱 들어맞는 느낌이다.

저자 김훈은 언론 인터뷰에서 "두 젊은이의 시대에 대한 고뇌는 무거운 것이지만, 그들의 처신은 바람처럼 가벼웠고, 젊은이다운 에너지가 폭발하는 것으로 가장 놀랍고 기가 막히게 아름다운 대목"이라고 강조한다. 즉 작가는 나라를 집어삼킨 열강의 제국주의에 홀로 맞선 안중근의 추동력을 청춘의 아름다움에서 찾는다. 이토를 죽이기 위해 하얼빈에 동행했던 우덕순과 안중근의 대화는 그야말로 경이롭다. 두 젊은이는 블라디보스토크의 술집에서 이토 살해를 모의한다. 대의명분이나 추후 대책, 거사 자금 같은 것에 대해선 한마디도 없이, 그저 이토를 죽여야 한다는 뜻이 통해 곧바로 하얼빈으로 향한다.

　-이토가 온다는 얘기냐?

　-그렇다. 하얼빈으로 온다

　-온다고? (p.104) 더 이상 무슨 말이 필요한가...

　저자는 약육강식(弱肉强食)의 문제점을 지적한다. 안중근의 '동양평화론'은 동아시아 각국이 독립하고 자주적인 체계를 만들어야 이뤄질 수 있다는 개념이다. 하지만 동아시아가 일본 패권 안에 들어와야 평화를 이룰 수 있다는 이토의 문명개화라는 야만성과는 완전히 상반된다. 안중근의 희망은 동양평화에 있었던 것이고, 그래서 감옥안에서 <동양평화론>을 쓰기도 한다. 안중근은 결국 문명개화로 위장된 약육강식에 저항한 것이다. 그리고 안중근의 희망은 총살에 있었다기보다는 말(법정 진술)에 있었던 것이다. 총을 쏘고 나서 법정에서 동양평화를 얘기하고 자기가 이걸 할 수밖에 없었던 당위성을 설명한다. "이토의 작동을 멈추게 하려는 까닭을 말하려는 것에 있다. 살하지 않고 말을 한다면 세상은 말에 귀 기울이지 않을 것이고, 세상에 들리게 말을 하려면 살하고 나서 말 하는 수밖에 없을 터이다. 말은 혼자서 주절거리는 것이 아니라 이 세상에 대고 알아들으라고 하는 것이다." (p.89)

"왕권이 이미 무너지고 사대부들이 국권을 넘겼는데도, 조선의 면면촌촌에서 백성들이 일어서고 또 일어섰다."(P.18) 그리고 " 황태자 이은은 깊이 상심했다. 스승 이토가 왜 조선인의 손에 죽어야 하는지." (p.169) 살길은 슬픔에 있다고 판단하는 조선 황실과 이은의 모습은 권력자와 기득권자들의 실상을 단적으로 보여줘 서글프다. 나라가 나라 구실을 못하고, 황제가 있어도 백성의 삶을 살피지 못한다면 진정한 황제인가?

책을 다 읽고 덮고 나서 한동안 앉아 있었다. 마음이 편하지 않았다. 먼 데서 시끄러운 도시의 소음들이 들린다. 시간이 좀 지났지만 답답한 기분은 쉽게 가시지가 않는다. "弱肉強食 風塵時代(약육강식 풍진시대)" (p.260)

2장

인생

생명력

박경리, 김약국의 딸들

　예전에 문학길 탐방으로 독서모임에서 회원들과 함께 경남 통영에 간 적이 있다. 통영 <세병관>에서 읽고 온 박경리의 『김약국의 딸들』을 갖고 토론을 했다. 그땐 책에 대한 서사적인 줄거리의 위주로 말하고, 김약국 가족의 비극적인 삶에 비통해한 경험이 있다. 지금 박경리의 대하소설인 『토지』를 천천히 읽고 있는 중에, 다시 박경리의 『김약국의 딸들』 (마로니에북스, 2015)을 읽어 본다.

　박경리는 1926년 경상남도 통영에서 태어났다. 1955년 김동리의 추천을 받아 단편 『계산』으로 등단했다. 사회와 현실에 대한 비판성이 강한 문제작을 잇달아 발표하며 문단의 주목을 받기 시작했다. 구한말에서 일제강점기를 거쳐 해방에 이르기까지 무수한 역사적 사건과 민중들의 삶을 그린 『토지』는 문학사의 기념비적인 작품으로 평가받고 있다. 저서로는 『파시』, 『시장과 전장』, 『원주통신』, 『만리장성의 나라』, 『꿈꾸는 자가 창조한다』 등이 있다.

김약국은 고아로 자랐다. 어머니는 비상 먹고 자살을 하고 아버지는 살인을 하고 어디서 돌아갔는지 아무도 모른다. 김약국은 딸을 다섯 두었다. 큰딸은 과부이고 영아 살해혐의로 경찰서까지 다녀왔다. 둘째인 용빈은 노처녀이다. 셋째는 집에서 키운 머슴을 사랑했다. 허용되지 못했던 머슴과의 불륜 때문에 아편쟁이 부자 아들에게 시집을 갔다. 결국 그 아편쟁이 남편은 장모와 그 머슴을 도끼로 살해한다. 넷째는 시아버지와 불미스런 일로 남편을 찾아 부산으로 갔다가 돌아오는 길에 배의 침몰로 사망한다.

이 소설의 공간 배경인 〈통영〉이 상징하는 바는 무엇인가? 이 작품에서의 통영은 향수병을 불러일으키거나 즐거운 경험이 남아있는 고향의 개념은 아니다. 산업의 발달로 인해 배금주의가 만연하여 도덕적으로 타락한 장소이다. "투

기적인 일확천금의 꿈이 횡행하여 경제적 지배계급은 부단한 변동을 보였다. 봉건제도가 일찍 무너지고 활동의 자유, 배금사상이 보급된 것만은 사실이다.” (p.10) 그리고 아직까지 주술적 예언과 기독교 신앙이 공존하는 운명에 사로잡힌 장소이다. 그래서 여성으로서는 치명적인 성추문이 끊이지 않는 억압적이고 감옥 같은 장소이기도 하다. 즉 통영은 근원적인 장소이자 존재의 근원이라는 즐거운 추억의 장소라기보다는 운명을 벗어날 수 없는 저주와 고역의 장소이다. “비상 묵은 자손은 지리지(번식) 않는다는데 성수도 사람 구실 못할까 봐, 남이 가라 캐도 피할 건데, 와 자꾸 그 집에 가는지.” (p.36) 샤머니즘적인 주술적 예언이 담겨있다.

　『김약국의 딸들』에서 저자가 보여주고 싶은 것은 우리의 일상적인 삶에서 흔히 볼 수 있는 비극에 대한 인식의 문제를 다룬다. 이 작품은 김약국 집안의 비극적인 목적만으로는 끝나지 않는다. 비극의 파고가 지나간 지점에서 회생을 위한 새로운 움직임이 싹트고 있기 때문이다. 저자는 용빈이라는 인물을 통해서 비극의 극복 가능성을 열어놓고 있다. 그것이 용빈에게는 이성과 지성의 힘으로 강인한 생명력으로 나타나고 있다. 박경리는 어떤 역경 속에서도 포기하지 않는 끈질긴 생명력을 강조하고자 한다. 그렇기 때문에 『김약국의 딸들』은 비극이 파멸과 좌절의 종착역이 아니라 처절한 폐허속에서도 솟아나는 생명력의 자긍심을 보여준다. 이것은 한 집안의 몰락이라는 비극을 우리에게 던져주는 것이 아니라 끝없는 죽음의 위협 속에 살고 있는 우리에게 견디고 버티게 하는 한 줄기 희망을 제공해 준다. "인생이란 사철이 봄일 수는 없잖아? 가을이 오면 잎이 떨어지고 한겨울이 오면 헐벗고 떨어야 하지만, 이내 봄이 오지 않니? 희망을 잃어서는 안 돼요." (p.231) "봄이 멀지 않았는데, 바람은 살을 에일 듯 차다. "(p.415)

『김약국의 딸들』은 통영에서 대를 이어 관약국을 하던 김약국 집안의 비극적인 삶의 이야기이다. 하지만 작품 속을 관찰해보면 여성 개인의 삶과 함께 새로운 교육을 받은 지식인의 갈등이라든가 사회변동에 따른 경제적 지배의 새로운 양상도 보여준다. 유교적 질서가 지배하는 사회에 있어서 여자의 숙명이 비극을 잉태함으로써 한 가족의 파탄을 이야기하는 점도 분명히 있다. 하지만 한약방을 경영하던 김약국이 어장이나 어선에 투자를 하는 행위는 변동하는 사회 속에 발을 들여 놓고 있음을 이야기한다. 즉 봉건시대의 가치관과 제도의 붕괴를 상징적으로 드러내 주고 있다. 깊이 파고 들면 들수록 더 의미 있고 끈질긴 생명력이 느껴지는 책이다. 『김약국의 딸들』는 저자가 1962년인 36세에 발표한 작품이다. 박경리의 문학적인 사상을 알고 싶다면 1969년부터 1994년까지 26년 동안 집필한 『토지』를 만나보는 것도 더할 나위 없는 행운일 것이다.

역사 인식
J.네루, 세계사 편력

J.네루의 『세계사 편력 Ⅰ,Ⅱ,Ⅲ』(곽복희, 남궁원 옮김, 일빛, 2005)이란 책이 있다. '편력' 이란 단어 때문에, 『Glimpses of World History』의 원제목이 마음에 더 드는 책이다. 저자인 네루가 13세 어린 딸에게 역사와 인생을 보는 안목을 키워주고자 감옥에서 쓴 편지 글이다. 편지 글이지만 세계사의 주요 흐름을 이해하기 쉽도록 설명하고 있다. 그 편지 속에는 네루의 감옥에서 겪은 인생관과 가치관이 담겨있다. 이 세계사 편지들을 읽고 자란 딸(인디라 간디)은 훗날 인도의 총리가 되어 인도 발전에 크게 기여한다.

자와할랄 네루(1889~1964)는 인도 알라하바드에서 태어났다. 영국 케임브리 대학에서 공부한 뒤 변호사가 되었다. 1919년부터 간디 밑에서 인도 독립을 위한 반영 투쟁에 나섰고 독립 후 초대 총리를 지냈다. 이 책 『세계사 편력 I,II,III』은 1930년부터 1933년까지 3년 동안 옥중 생활을 하면서 딸에게 쓴 196회분의 편지 글을 엮은 것이다. 저서로는 『인도의 발견』, 『세계역사 이야기』 등이 있다.

저자는 한두 나라에 국한되는 답답한 역사를 배우지 말고 전세계의 역사를 바라보라고 주장한다. 역사란 서로 연관된 전체이므로, 만일 다른 나라에서 일어난 일들을 알지 못하면 어느 나라의 역사도 이해하지 못한다는 것이다. "나는 사람들이 보통 한 나라의 역사만 공부하고, 그나마 몇몇 사건이나 날짜 따위나 암기하는 것을 보면 참 쓸모 없는 일을 하고 있다는 생각이 든다." (p.24 1권) 역사는 옛날에 일어났던 일들에 대한 단순한 지식이 아니라는 것이다. 균형 잡힌 올바른 세계관을 갖추기 위해서는 한 나라 역사에 한정되지 않은 세계사 전반에 대한 지식과 안목을 길러야 함을 강조한다. 자기가 속해 있는 공동체나 문화권에서만 용인되는 가치관이나 세계관만으로는 지구촌 시대에 세계 시민으로 살아가기에는 부족하다고 지적한다. 한 나라의 역사 연구가 흔히 오해를 낳으며, 오로지 세계사적인 안목만이 우리에게 사건의 중요성과 과거를 형성하고 현재를 만들어 낸 힘에 대한 올바른 인식을 심어줄 수 있다는 것이다. 저자인 네루의 역사를 보는 올바른 안목이 느껴진다.

저자는 인도의 시대적 상황에 맞게 딸뿐만이 아니라 인도 국민에게 위대한 해방 운동에 참여하고 용기를 가져라고 주장한다. 극복해야 할 장애가 없고 싸워 이겨야 할 투쟁이 없다면 생활은 느슨하고 빛 바랜 것이 될 것이라고 말한다. 아무리 어려운 난관이 앞길을 가로막는다 해도 극복의 기쁨을 가지고 용기 있게 난관을 헤쳐나가야 한다고 주장한다. 그러면서 딸에게 인도의 현재 상황과 꼭 들어맞는다며 몽테스키외의 말을 인용한다. "법의 그늘에 숨고 정의의 빛으로 물들여진 압정만큼 잔혹한 것은 없다."(p.241, 2권) 국민이 무지하고 약하고 어리석음은 반드시 압제를 불러들이기 마련이라고 경고한다. 딸에 대한 편지 글이지만, 그 내면에는 당시 인도 국민들에게 용기를 갖고 역사에 참여하여 자유를 향한 투쟁에 나서라는 염원도 담고 있다. "우리는 한 사람의 위대한 지도자를 가지고 있다. 경애하는 벗이요 성실로 가득찬 지도자를 보면 누구나 힘이 솟아오른다. 우리는 또한 승리가 우리를 기다리고 있다는 것을 확신하고 있다."

(p.242, 2권)

  또한 제3권에 나오는 185번째 편지 글에서 언급한 '공황'에 대한 설명이 저자의 예리한 시각을 보여준다. 근본적으로 볼 때, 공황은 자본주의에 의해 생겨나는 잉여 소득의 불평등한 분배에 기인한 것이라고 주장한다. 바꿔말하면 대중은 그들 자신이 생산한 상품을 사들일 만큼의 돈을 임금이나 급여로서 받지 못했다는 것이다. 이는 생산된 상품의 가치가 그들의 총수입을 웃돌았다는 것을 의미한다. "미국에서 독일로, 중부 유럽으로, 또 남아메리카로 쏟아진 차관들은 다름 아닌 이러한 과잉 자금이었다. 공황에 최종 타격을 준 것은 이 대외 차관을 중지한 것이었다." (p.379, 3권) 미국이나 그 밖의 나라에서 식량이나 공업제품이 부족했던 것은 절대 아니다. 과잉 생산이 문제였다. 실업자는 돈을 갖고 있지 않은데 어떻게 상품을 살 수 있겠는가? 많은 수의 일반 대중은 궁핍할 수밖에 없었다. 상품과 돈은 풍족하지만, 그것을 일반 대중에게 분배되지 않는 불평등한 자본주의 본성이 문제인가? 부자는 더욱 부유해지고 가난뱅이는 더욱 가난해지는 현상이 그때나 지금이나 변하지 않는 사회가 통탄스러울 뿐이다.

저자는 마지막 편지 196번째 글에서 말한다. "역사는 신비한 구경거리가 아니지만 그것을 볼 줄 아는 사람에게는 거기에 많은 신비가 있다." (p.486, 3권) 역사에서 올바른 교훈을 배울 수 있음을 뜻한다. 역사는 우리에게 생성과 발전, 무한한 진보의 가능성을 열어놓고 있기 때문이다. 실제 저자는 1955년 '반둥회의'에서 중국 총리를 회의에 참석케 하는 등 인도 총리로서 식민주의 종식과 민족 자결, 탈냉전의 원칙에 동의하는 결과를 이끌어 내는데 주도적인 역할을 한다. 네루는 제국주의적 사관에 바탕을 둔 서구의 논리가 아닌 평범한 사람들과 소수민족들의 논리를 바탕으로 삼고 일하는 정치가이다. 옥중에서 보낸 시간동안 저자의 생각과 사상, 딸에게 들려 준 세계사와 역사의 안목을 발견하고자 한다면 네루의 『세계사 편력 Ⅰ,Ⅱ,Ⅲ』만큼 좋은 스승이 있을까? 이 책을 통해 민중의 역사 속에서 인류사의 주인공이 누구인가를 발견해 보시길...

자신에게 이르는 길
헤르만 헤세, 데미안

　헤르만 헤세의 『데미안』 (전영애 옮김, 민음사,1997)은
청춘의 바이블이라 불릴 만큼 전 세계적으로 젊은이들에게
많이 읽히는 동시에 영향력이 큰 작품이다. 헤세는 데미안이
라는 이름을 어느 날 꿈속에서 생각해 냈다고 한다. 다이모
니온(Daimonion)은 소크라테스가 듣곤 했다는 신비한 내면
의 목소리이고, 독일어 단어 데몬(Damon)은 선악을 넘어선
영적 존재로 인간 속에 내재하는 초인적인 힘을 가리키기도
한다. 이 단어들에는 상징적인 의미가 담겨있다. 니체의 사
상과 프로이트와 융의 정신 분석학에 관심이 많았던 헤세의
작품이기에 『데미안』이 결코 쉬운 책은 아니다. 헤세가 직

접 접해 보고 깊이 공감하게 된 정신 분석학적 방법론을 이 작품에서 예술적으로 형상화시킨 독특한 형식을 보여주기 때문이다. 이야기가 외부의 흐름을 따라가는 것이 아니라, 주인공의 내면에서 일어나는 의식과 무의식의 현상들, 꿈과 환상들에 초점이 맞춰져 있다는 점이다.

헤르만 헤세(Hermann Hesse, 1877~1962)는 1877년 독일 남부 칼프에서 선교사의 아들로 태어났다. 어린 시절 시인이 되고자 수도원에서 도망친 뒤 시계 공장과 서점에서 사원으로 일했다. 열다섯 살에 자살을 기도해 정신병원에 입원하는 등 험난한 청소년기를 보냈다. 세상을 떠날 때까지 자기 실현을 위한 노력을 한시도 쉬지 않았던 헤세는 1946년 노벨문학상과 괴테상을 동시에 수상했다. 주요 저서로는 『페터 카멘친트』, 『수레바퀴 아래서』, 『크눌프』, 『싯다르타』, 『나르치스와 골드문트』, 『유리알 유희』 등 다수가 있다.

부모의 보호 아래 모범적으로만 자라온 소년 싱클레어는 낡은 규범들의 속박에 괴로워하며 그것들과 마주한다. 이 돌파구 없는 고통스러운 상황에서 그는 더 나이 들고 더 경험 많은 데미안을 만난다. 저지르지도 않은 도둑질을 얘기함으로써 악동 크로머에게 혹독하게 시달리던 싱클레어를 데미안이 도와준다. 그 이후로 데미안은 카인과 아벨 이야기같이 굳어진 기존의 사고의 틀까지 깨게끔 알려주고, 싱클레어가 운명으로부터 도망치지 않고 운명을 받아들이라고 가르쳐준다.

먼저 저자는 보편적인 인간 개인의 정체성과 자기발견을 말하고자 한다. 온전한 자기가 되기 위한 고통의 과정을 그려내고 있다. 한 사람 한 사람의 삶은 자기 자신에게로 이르는 길이며 누구나 나름으로 목표를 향해 노력하는 소중한 존재임을 강조한다. 책을 시작하기 전 서문 맨 앞 모토에도 나와 있다. "내 속에서 솟아 나오려는 것. 바로 그것을 나는 살아 보려고 했다. 그러기가 왜 그토록 어려웠을까?" (p. 9) 인간이 되어 가는 과정이 주인공 싱클레어의 성장 과정에 고스란히 담겨 있다. 어둠을 뚫고 나아가는 영혼의 순례에서 싱클레어의 안내자 역할을 하는 인물이 데미안이다. 아브락시스라는 선과 악의 세계를 합일한 신을 받아들이고, 에바 부인으로 표상되는 진정한 자아에 이르기까지 싱클레어의 이야기는 한 인간에게 기존 문화의 틀을 벗어나 주체적으로 홀로 서는 것이 얼마나 어려운 일인가를 보여준다. 우리 인간은 자기 삶의 완성이 어떤 모습이어야 할지를 알지 못한다. 개개인의 삶이 공허한 껍질이 되지 않으려면, 인간은 무엇을 알고 자신의 운명에 어떤 자세여야 하는가를 헤세는 이 소설에서 말하고자 한 것이 아닐까.

소설 후반부에서는 1차 세계대전에 대한 입장과 그와 관련한 유럽에 관한 담론적 성격을 보여 준다. 구체적으로 서구 유럽 사회의 진단과 비판을 근간으로 새롭게 탄생되어야 할 유럽과 유럽인에 대해 이야기를 내포하고 있다. 즉 크게 보면 새로운 유럽인의 자기발견이며 그것을 찾는 과정인 것이다. 『데미안』은 성장소설이면서 동시에 유럽 중심적인 정치적 소설이다. 1차 세계대전 중에 유럽의 불행은 결국 물질주의와 이에 반응하는 개개인의 자기 상실증에서 초래되었다는 인식이었다. 결국 개개인의 인간들은 극단적인 물질주의를 추구하다가 빠져든 정신의 공허에서 탈출하려고 잘못된 곳에서 해결책을 찾았다. 우러나오는 진실된 운명의 소리를 듣는 대신 모임을 만들고 떼를 지어 다니며 끼리끼리 합세하여 기염을 토하는 가운데서 해결책을 찾으려고 했다. 이것은 불안으로부터의 진정한 해방이 아니라 오히려 자기 상실을 가져오고, 이 자기 상실은 이성을 잃은 전쟁 가운데서 궁극적인 탈출구를 찾았던 것이다. 헤세는 세계 대전의 참상을 겪고 기존의 세계와 가치에 깊은 회의와 불신을 품게 된 유럽의 젊은이들에게 새로운 가치, 새로운 삶의 가능성을 보여주려한 것이다.

정신 분석학에서 환자의 꿈이나 그가 그린 그림이 내면을 읽어내는 중요한 도구가 된다. 이처럼 싱클레어의 변화해 가는 내면 풍경을 그려 나가는 이 작품에서 그의 꿈과 그림들은 작품의 핵심적인 상징의 역할을 한다. "나 자신의 모습이 보였다. 이제 그와 완전히 닮아 있었다. 그와, 나의 친구이자 인도자인 그와." (p.219) 이렇게 끝을 맺는 이 소설은 주인공의 영혼은 인간 무의식의 무한한 시공간을 넘나들며 의식의 지평을 넓혀 나간다. 이야기는 현실인 동시에 환상이고, 무의식적 환상이 실제 현실로 눈앞에 벌어지곤 한다. '나'를 찾는 것을 삶의 목표로 내면의 길을 지향하며 현실과 대결하는 영혼의 모습을 그리는 작품으로 결코 쉽게 이해하기 어려운 책이다. 하지만 융의 영향을 받은 정신분석학적 측면과 철학적 성찰로 인도하는 헤세의 이 책은 꼭 간직해서 또 읽고 싶은 마음이 든다.

평범한 미래

김연수, 이토록 평범한 미래

  2022년은 코로나19 확산이 3년째 접어들고 러시아와 우
크라이나 전쟁이 장기화되면서 촉발된 인플레이션과 경기
침체가 이어진 어려운 시기였다. 그리고 청춘들이 희생된 이
태원 참극까지 겹친 혹독한 한 해였다. 이에 어려운 시기를
헤쳐 나갈 지혜와 함께 따뜻한 위로를 찾게끔 해주는 책이
있다. 김연수의 『이토록 평범한 미래』 (문학동네, 2022)
가 그것이다. 상실 속에서도 한 줄기 희망을 놓지 않는 이들
의 이야기인 8편의 단편소설을 엮은 것이다.

  김연수는 1993년 〈작가세계〉 여름호에 시를 발표하고,

1994년 장편소설 『가면을 가리키며 걷기』로 제3회 작가세계문학상을 수상했다. 동서문학상, 동인문학상, 황순원문학상, 이상문학상 등을 수상했다. 저서로는 『스무 살』, 『사랑이라니, 선영아』, 『원더보이』, 『일곱 해의 마지막』, 『청춘의 문장들』, 『소설가의 일』, 『시절일기』 등이 있다.

8편의 소설들에서 핵심은 미래를 기억하라는 것이다. 언젠가 다가 올 더 나은 미래를 기대하며 현재를 살아야 한다는 것이다. 저자는 희망은 비극에서 피어날지라도, 각자 처한 현재를 제대로 돌이켜본 다음에야 더 좋은 미래에 다가갈 수 있다고 말한다. 아득한 미래의 시간을 지금 눈앞의 현실적 고려 안에 끼워 넣어야 한다는 것이다. "과거는 자신이 이미 겪은 일이기 때문에 충분히 상상할 수 있는데, 우리가 기억해야 하는 것은 과거가 아니라 오히려 미래입니다." (p.29) 이미 일어난 일들이 아니라 앞으로 일어날 일들이 원인이 되어 현재의 일이 벌어진다고 생각하는 인식의 패턴이 완전히 바뀌어야 한다는 것이다.

소설집의 표제작인 〈이토록 평범한 미래〉도 역시 감당하기 어려운 비극을 딛고 살아가는 주인공을 그린다. 소설

속 연인은 삶의 비극과 황홀함을 모두 경험하고 난 다음에야 평범한 일상을 살아간다. 더 좋은 것이 미래에 온다고 상상하며 매 순간의 고통을 버텨낸 결과다.

이 책에서는 기억에 대한 독특한 사유와 바람이 상징하는 바가 곳곳에 숨어있다. 〈다만 한 사람을 기억하네〉에서는 시간에 구애받지 않고 만난 적 없는 사람한테 위로를 받은 후로 그 사람을 계속해서 기억한다. 사랑의 기억은 이별 뒤에도 사라지지 않음을 묘사하는 〈사랑의 단상 2014〉가 또한 그렇다. 한 인간의 육체에 담긴 기억은 유한하지만, 정신에 담긴 기억은 이야기 형식으로 후대에 무한하게 이어진다고 〈다시, 2100년의 바르바라에게〉에서 저자는 말한다. 짧은 시간 속에서 비극적일 수밖에 없던 일들도, 무한한 긴 시간 속에서는 낙관적으로 이해될 수 있음을 이야기한다.

저자는 타인과 함께 바람에 맞설 때, 우리 사회가 미래로 나아갈 수 있다고 말한다. 바람에 넘어지더라도 타인을 계속해서 이해해야 한다고 저자는 말한다.바람이 몰아치는 삶 속에서 비관에 빠지지 않도록 돕는 존재는 타인이다. 한 사람이 넘어지면 다른 사람이 위로를 건넨다. 〈난주의 바다 앞에서〉에서 친구의 위로가 은정을 살아가게 한다. "넘어진다고 끝이 아니야. 그다음이 있어. 이 세상에 나 혼자만 있는 것 같은 기분이 들지. 바로 그때 바람(세컨드 윈드)이 불어와." (p.60)

　미래를 가까이 끌어당긴 저자의 상상력 안에서는 이미 일어난 일들이 아니라 앞으로 일어날 일들이 원인이 되어 현재의 일이 벌어진다는 것이다. 저자는 '작가의 말'에서 밝힌다. "고통과 불만족을 겪어내면 이윽고 단순한 기쁨이 찾아온다." (p.273) 언제나 중요한 것은 지금 이 순간 우리가 하는 일이다. 지금 이 순간 달까지 걸어가는 사람인 양 걷는 사람의 발은 달에 닿아 있다. 멈추지 말고 계속 걸어가기를 저자는 강조한다. 오늘을 사는 우리에게 평범한 미래를 꿈꾸게 하는 이 책은 이 어려운 시기에 조금이나마 위안을 느끼게 해준다.

죽음을 대하는 자세
김지수, 이어령의 마지막 수업

2023년 1월 독서모임책이 김지수의 『이어령의 마지막 수업』 (열림원, 2021)이다. 초대 문화부장관이자 한국을 대표하는 지성으로, 오랜 암 투병으로 죽음을 눈앞에 둔 이어령 선생의 다양하고도 울림 있는 목소리를 담아내고 있다. 그래서 이어령 선생의 말하고자 하는 바를 몇 가지 찾아낸다는 것과 작가 김지수의 생각은 무엇인지를 한 마디로 표현하기란 쉬운 일이 아니다. 그 만큼 이런 책의 서평 쓰기란 대단히 어려움을 요한다. 그래서 지금까지 쓰지 못하다가 이제야 겨우 몇 자 적어본다.

이어령은 1934년 충남 아산에서 태어났다. 〈조선일보〉, 〈중앙일보〉, 〈경향신문〉 등에서 신문의 논설위원을 지냈다. 서울 올림픽 개폐회식을 주관했으며 초대 문화부장관을 지냈다. 주요 저서로는 『지성에서 영성으로』, 『축소지향의 일본인』, 『생명이 자본이다』, 소설 『장군의 수염』 등이 있다.

작가인 김지수는 1971년 서울에서 태어났다. 이화여대 사회학과를 졸업 후 〈조선비즈〉에서 문화전문기자로 일하고 있다. 2015년부터 진행한 인터뷰 시리즈 '김지수의 인터스텔라'로 독자들의 사랑을 받고 있다.

이어령 선생하면 먼저 떠오르는 것이 있다. 2009년에 대구시 중구 수창동 KT &G 별관에서 강연한 내용이 지금까지 뇌리에 남아있다. "시민들이 일본 문화의 잔재이기도 한 거리와 정원의 '회양목'을 뽑아 나무가 자연스럽게 자라게 하도록 아이디어를 내는 것, 문화는 엄청난 것이 아니라 유연성을 갖고 패러다임을 바꾸면 새로운 풍경이 생겨난다"라고 주장한 것이 매우 인상적으로 받아들여졌기 때문이다. 지금도 주변 도시 소공원이나 어린이 놀이터 등에 회양목이 그대로 심어지고 있는 것을 보면 씁쓸하고 안타까운 마음이

든다.

이 책을 관통하는 주된 관심사는 '죽음'을 앞 둔 이어령의 선생의 마음 자세이다. "나무들이 흔들리는 것도 원래의 자세로 돌아가기 위해서라네. 촛불과 파도 앞에 서면 항상 삶과 죽음을 기억하게나. 수직의 중심점이 생이고 수평의 중심점이 죽음이라는 것을." (p. 294) 이어령 선생은 죽음을 받아들이기로 한 것일까? 앞으로 고통을 겪는 것까지가 자기 몫이라고. "생각은 있으나 글을 못 써. 그게 죽음이야. 내 모든 지식, 생각을 가루로 만들어버리더군. 다 지워버렸어. 암세포는 내 몸의 지우개였어." (p.63) 이렇게 선생은 죽음을 들여다볼 수 있는 용기를 가졌음을 보여준다.

플라톤의 『소크라테스의 변론』에서도 소크라테스는 사형 선고를 받자 주장한다. "죽음을 피하는 것이 어려운 것이 아니라, 비열함을 피하는 것이 훨씬 더 어렵습니다. 나는 죽으러 가고, 여러분은 살러 갈 것입니다. 어느 쪽이 더 나은 운명을 향해 가는지는 신 말고는 아무도 모릅니다." 태연하고 침착하게 죽음을 맞이하는 소크라테스의 감동적인 장면이 나오는데, 이어령 선생의 죽음을 대하는 자세와 일맥 상통함을 느끼게 해준다.

이어령은 북트레일러에서 주장한다. " 숫자가 많았기 때문에 못 했던 말, 또 격식이 있었기 때문에 삼가던 말을 오순도순 이야기 하듯이 말한 것을 마지막으로 남기고 싶었다." 그렇기 때문에 『이어령의 마지막 수업』 에는 더욱 더 진실성이 담겨 있음을 알게된다. 이 책에는 사랑, 용서, 종교, 과학, 인문 등 다양한 주제들을 이야기하고 있다. 작가 김지수는 소크라테스를 기록하려던 플라톤의 마음으로 글을 담아내려고 노력했다라고 고백한다. 교수, 지성인으로서의 이어령이 아닌 인간적인 모습의 이어령을 만나기를 원한다면 이 책을 읽어보시길... 작금의 우울한 시대에 잔잔한 마음을 보듬는 시간을 안겨 줄 것이다.

3장

주체적인 삶

우리네 아버지

정지아, 아버지의 해방일지

얼마 전에 친구가 말했다. "독서모임도 많이 하고, 사무실 직장 동료들과도 오랫동안 생활했지만, 최근에 삶에 있어서 진실한 태도로 임하는 한 사람을 알게 되었는데, 많이 느끼고 배우고 있는 중이다." 삶을 대하는 진실한 태도와 거짓 없는 마음을 알게 해 주는 정지아의 『아버지의 해방일지』 (창비, 2022)를 읽고, 그 친구의 말을 이해하게 되었다.

정지아는 전남 구례에서 태어나 중앙대학교 문예창작학과 박사과정을 마쳤다. 1990년 장편소설 『빨치산의 딸』을 펴냈고, 1995년 조선일보 신춘문예에 단편소설 『고욤나무』가 당선되었다. 이효석문학상, 심훈문학상, 김유정문학상 등을 수상했다. 저서로는 『행복』, 『봄빛』, 『숲의 대화』, 『자본주의의 적』 등이 있다.

『아버지의 해방일지』는 정지아 아버지의 이야기이다. 주인공 고상욱이라는 실존 인물을 소재로 이데올로기로만 아버지를 볼 것이 아니라 한 인간으로 보여 주고자 작가는 용기 내어 가족 이야기를 쓴 것일까? 고상욱은 혁명가였고 빨치산의 동지였지만 그전에 자식이고 형제였으며, 남자이고 연인이었다. 그리고 어머니의 남편이고 나의 아버지였으며 다정한 이웃이었던 것이다. "아버지가 죽었다. 전봇대에 머리를 박고. 평생을 정색하고 살아온 아버지가 전봇대에 머리를 박고 진지 일색의 삶을 마감한 것이다." (P. 7) 전봇대는 전기를 연결해주는 장치인데, 소설에서 상징하는 것은 사람들과의 관계를 보여주기 위해 표현한 것일지도 모른다. 소설은 고상욱이라는 한 인간으로서 실천한 나눔과 연대, 솔선 수범의 삶으로 살아온 아버지의 해방일지를 유머스럽게 보여준다.

이 소설은 나의 시간 속에 각인되어 있는 지난 순간의 나의 아버지를 떠올리게 해준다. 고상욱과 마찬가지로 나의 아버지는 언제나 인간을 신뢰했다. 손해 보는 일이 있어도, 이웃을 먼저 생각했다. 아버지는 자식들에게 좀처럼 화를 내지 않으셨다. 강요하지 않고 말씀이 없고, 뒤에서 묵묵히 자식들을 믿어주고 배려해 주는 아버지가 좋았고 그런 성품을 닮고 싶었다. 『아버지의 해방일지』를 읽다 보니, 어린 시절 시골에서 아버지와 함께 한 일들이 생생하게 살아나고 그 순간의 아버지가 문득 그리워진다. '아버지'라는 존재를 떠올리게 하고 기억나게 해주는 소설이다.

소설은 전직 빨치산 아버지가 죽고 난 뒤 3일 간의 장례식장에서 드러나는 주인공 고상욱과의 관계 속에서 얽히고설킨 이야기를 보여준다. 특히 열일고여덟이나 됐을 여자 아이와 여든 넘은 아버지가 담배 친구라니, 아무렇지 않게 어울려 살아가는 고상욱이의 삶의 태도가 신기하고 인간적이다. "…… 담배 친군디요.", "양심 좀 챙기라대요. 최소한 교복은 벗고 피우는 것이 양심이라고 …… " (P. 139) 그래서 정지아는 이 여자아이에게 소설 말미에 '할배 뼛가루'를 한줌 집어 건네고, 항꾼에 담배를 피우는 장면을 묘사한다.

전남 구례의 구수한 말들과 3일 간의 장례식장에서 뒤엉킨 사람들의 인연이 궁금하다면 한번 읽어 보시길. 피식피식 웃음이 나고 가슴이 따뜻해 짐을 느끼게 해준다. 고상욱이라는 아버지가 대단한 것도, 그렇다고 이상한 것도 아니다. 그저 어디에나 있을 우리네 아버지인 것이다.

변신

프란츠 카프카, 변신

"그레고르 잠자는 어느 날 아침 불안한 꿈에서 깨어났을 때, 자신이 잠자리 속에서 한 마리 흉측한 해충으로 변해 있음을 발견했다." (p.9)로 시작되는 프란츠 카프카의 『변신』 (전영애 옮김, 민음사,1998) 책을 오래만에 다시 읽게 되었다. 카프카가 바라보는 문제의식이 무엇인지 살펴보기 위해서... 카프카의 『변신』은 보는 관점에 따라 다양한 해석들이 가능하니까.

프란츠 카프카는 체코의 수도 프라하에서 부유한 유대 상인의 아들로 태어났다. 카프카는 독일계 고등학교를 거쳐 프라하대학에서 법률을 공부했다. 졸업 후에는 노동자 재해보험국에서 근무했다. 1917년 불면증과 두통에 시달리며 여러 곳에서 휴양함으로 안정을 취하면서 장편소설 『성』을 썼고, 『배고픈 예술가』를 비롯한 단편도 많이 썼다. 1924년 폐결핵으로 킬링요양원에서 숨을 거두고, 프라하의 유대인 묘지에 안장되었다. 주요 저서로는 『판결』, 『변신』, 『심판』, 『아메리카』, 『시골의사』, 『굶은 광대』 등이 있다.

소설은 먼저 가족주의 해체와 사회적 소외를 다룬다. 가족들의 외면, 여동생의 분노에 찬 저주를 넘어 인간 이하의 발언을 한다. "도대체 이게 어떻게 오빠일 수가 있지요? 만약 이게 오빠였더라면, 사람이 이런 동물과 함께 살 수는 없다는 것을 진작에 알아차리고 자기 발로 떠났을 테지요." (p.71) 그레고르는 자신이 세상에 필요없는 존재, 가족에게 외면받는 존재에 대한 분노와 항변보다는 세상에서 사라져 주어야 한다는 존재부정의 생각에 이른다.

삶의 방향이 모호해진 인간 존재의 부정, 의지와 상관없이 쓸려가는 인간 운명의 부조리를 보여준다. 산업자본주의가 심화되면서 생겨나는 실존적 불안을 생생하게 묘사하고 있다. 『변신』은 이런 점에서 가장 카프카의 실존주의 작품

경향을 보여준다 하겠다. 즉 오늘날 세상에 대해 무기력한 현대인의 초상을 대변해 주는 소설이라 보여진다.

제목인 '변신'은 어떤 상징적인 의미가 담겨 있을까? 카프카의 작품 속에 등장하는 여러 현대인의 모습은 고독한 존재들이다. 그래서 모두들 '변신'을 꿈꾸고 산다. 현실에서 존재할 수 없는 이상적인 삶이나 독특한 주인공으로 태어나기를 상상한다. 이런 변신의 꿈은 상상 그 자체만으로도 즐거운 일이고, 일상의 무료함을 달래주는 힘이 되기도 한다. 소설에서도 '변신'을 통해 그레고르는 비물질적이고 정신적인 방식을 갈망하게 되는데, 자유, 그리고 미지의 세계에 대한 동경으로의 탈출이 변신의 궁극적 의도인 것이다. 이렇게 변신을 통해 자아 해방의 의지를 가지게 되는 것은 일상 세계로부터의 탈출 시도라고 볼 수 있다.

소설을 읽다보니, 주인공 그레고르 같이 자신의 존재에 대한 성찰을 먼저 생각하게 된다. 우리는 자신의 존재보다는 바쁜 회사 생활만을 걱정하고 사는지 모른다. 일이 모든 것이고 일을 위해 사는 듯, 아니면 부자가 되기위해 노력하는 것, 성공이 인생의 목적이라든지, 이런 것들이 당연하다 생각하고 이것에 익숙해져 있는 것이 아닌지 따져 볼 일이다.

우리에게 어떤 '변신'이 필요한가?

나 자신
로랑스 드빌레르, 모든 삶이 흐른다

'바다가 인생을 가장 잘 표현하는 자연'이라고 주장하는 책이 있다. 프랑스 철학과 교수인 로랑스 드빌레르의 『모든 삶이 흐른다』 (이주영 옮김, 피카, 2023)가 그것이다. 저자는 잠시도 쉬지 않고 물결치는 바다처럼 삶도 그렇게 물결치며 자연스럽게 흐르는 것이라고 말한다. 철학과 삶, 바다가 어떤 관계가 있는지 사뭇 궁금해 진다.

저자는 '나답게 사는 것'을 강조한다. 자신이 지닌 개성에 자발적으로 관심을 기울려야 한다. 내게 한 약속, 내가 원하는 모습으로 만들어주는 노력? 이 모든 것이 어우러질 때

나는 나다워진다. 주변에서 원하는 모습에 자신을 맞추느라 너무 많은 시간을 낭비하지 말자. 다수에 속하려고 지나치게 노력하지도 말자. 자신만의 개성을 공들여 키워나가야 한다. 그저 남들이 하는 것과 똑같이 해야 한다는 생각에서 벗어나고 우리 각자가 세상에 단 하나뿐이라는 사실을 인식하면 되는 것이다. "이미 사람들이 지나간 고속도로를 그대로 가지 말고 나만의 새로운 길을 개척해보자." (p.71)

독일 철학자 페터 비에리의 『자기 결정』 책에도 비슷한 내용이 나온다. "다른 이가 먼저 살아가고 먼저 이야기한 것을 그대로 따라 살아가는 것이 아니라, 자신의 생이 가르치는 논리에 따라 살아가는 것이지요." 자기 결정의 삶이란 타인의 시선, 사회적 규범, 외부의 강제, 자기 검열 등에 구속받지 않고, 자기가 결정할 수 있는 삶을 강조한다. 이렇게 다른 사람들의 시선에 의존하지 않고 나답게 사는 것은 어렵지만 뿌듯한 일이고 중요한 것이다.

또한 샬럿 브론테의 『제인 에어』 소설 속에도 일라이자가 여동생 조지아나에게 충고하는 내용이 나온다. "분별 있는 존재라면 그래야 하듯이 너 자신을 위해, 네 안에서, 너 자신과 함께 사는 대신에, 너 자신의 유약함을 타인의 힘에 기대어 살려고 하고 있어. 넌 네 것이 아닌 남의 노력이나 남의 의지에 의존하지 않고 살아나갈 방책을 연구해낼 생각도 없니?" 결국 자신을 돕는 것은 자기 자신이고, 나를 해방시킬 수 있는 것도 오직 나 자신이다. 『모든 삶이 흐른다』에서 저자는 바다의 이야기를 통해 남들을 의식하지 않고 순응하지 않는 자유의 마음가짐을 기르기를 강조한다. 실패해도 모험을 시도하는 건 나 자신에 대해 계속 배우는 것이라 말한다. 끝없이 자신에게 관심을 기울이면 앞으로 나갈 수 있다는 것이다. 계속 나답게 살기를 강조한다. 아무리 인생이 괴롭고 답답해도 우리는 우리 자신으로 남기 때문이다.

이 책은 저자가 자기 철학을 바탕으로 쓴 다분히 성찰적인 요소가 깃든 문장들이 많이 나온다. 문장 하나하나가 한번쯤 깊이 사유하게 한다고나 할까? 사색할 시간을 던져주는 것 같다. " 삶을 이야기하려면 철학 자체, 개념적인 언어는 포기하고 바다를 은유법으로 사용해야만 가능했던 것 같다." (p.20) 저자는 철학과 함께하는 삶의 가치를 바다를 통해 해답을 찾고자 노력한다. 저자의 부드러운 표현들이 신선하고 감미롭게 다가오는 이 책을 꼭 읽어 보기를 추천하고 싶다.

다정함

브라이언 헤어,버네사 우즈, 다정한 것이 살아남는다

크고 강한 종, 그룹이 지배하고 이겨서 자손을 이끈다는 '적자생존' 의 오해를 풀어 줄 책이 나왔다. 찰스 다윈은 "살아남은 것은 가장 힘센 종도, 가장 영리한 종도 아닌 변화에 가장 잘 대처하는 종" 이라고 주장했다. 이에 기초한 '다정함' 이 진화에 성공적으로 작용한다고 주장한 책이 요즘 화제이다. 브라이언 헤어, 버네사 우즈의 『다정한 것이 살아남는다』 (이민아 옮김, 디플롯, 2021)가 그것이다.

브라이언 헤어는 듀크대학교에서 진화인류학, 신경과학과 교수를 맡고 있다. '듀크 개 인지능력 연구센터' 를 설립했다. <사이언스> <네이처> (미국국립과학원회보>등의 학술지에 100여 편의 과학 논문을 발표했다. 개, 늑대, 보노보, 침팬지, 사람을 포람하여 10여 종의 동물을 연구하면서 시베리아에서 콩고분지까지 세계 곳곳을 여행하고 있다.

버네사 우즈는 작가, 저널리스트로 브라이언 헤어와 함께 『개는 천재다』를 출간했다. 침팬지를 연구하는 브라이언 헤어와 결혼한 후 함께 우간다, 콩고, 케냐,독일 등 세계 각지에서 침팬지, 보노보, 늑대, 개 등을 연구하며 글을 쓰고 있다.

먼저 저자는 원제인 Survival of the Friendliest에서처럼 '다정함'을 강조한다. 어떤 종이든 생물체든 개인이든, 가장 번성한 경우와 가장 성공적인 경우를 보면 예외 없이 '다정함'에 의존하는 진화로 성공한 사례가 많다는 것이다.

책에서는 이러한 다정함은 '자기가축화'의 결과라고 말한다. 자기가축화는 다정함, 청소놀래기의 사례에서 보듯이 포식자에게 매력을 느끼고 다정함을 느끼는 것이다. 다정함이 자연에서 이로운 상황을 만들어내고 자연선택으로 이러한 다정함이 연출될 때 우리는 자기가축화가 이루어졌다고 부른다.

자기가축화에 성공한 '보노보'의 내용은 흥미롭다. 인류와 가장 가까운 살아있는 두 친척 동물은 침팬지와 보노보이다. 하지만 두 자매 종이 사회생활의 관점에서 보면 굉장히 다르게 진화했다. 보노보는 다정해지는 쪽으로 진화했다. 특히 암컷보노보들은 자연에서 침팬지는 이룰 수 없엇던 강한 우정을 쌓을 수 있었다. 대형 유인원 가운데 보노보만이 유일하게 같은 종의 일원을 죽이지 않는 것으로 나타났다. "보노보는 이웃 무리에게 공격성을 보이기는커녕 함께 여행하고 먹이를 나눠 먹으며 우호적 관계를 형성한다." (p.98) 우리 인간도 보노보처럼 이러한 방식으로 진화할 수 있으면 얼마나 좋을까 생각해본다.

"우리 종은 독재자가 되도록 진화하지 않았다." (p.237)라고 주장하면서 저자는 다정함의 관점에서 민주주의를 언급한다. 농경시대 이전의 인류의 삶을 보면 보통 민주적 사회 시스템이라고 여겨질 만한 삶을 살았다는 것이다. 농경사회가 되면서 위계질서의 필요성이 생기고, 한 사회에서도 다른 그룹과 다른 룰을 가진 사람들이 생기면서 다른 지위와 권력을 갖게 된 것이다. 민주주의가 제대로 설계되면 권력이 없어도 영향력을 잃지 않는다. 하지만 지금 대부분의 권위주의 정권들은 정권을 뺏기면 모든 것을 잃는다. 그래서 우리는 어떻게 이 제도를 공고화할 것이지에 대해 고민해야 한다. 민주주의는 많은 결함에도 불구하고 우리가 더 다정한 미래를 맞기 위해서는 가장 최선의 시스템이 아닌가 생각된다.

브라이언 헤어는 강연에서 다음과 같이 호소한다. "인간 본성의 최악이 나오는 것을 막으려면 서로를 인격적으로 대하고, 그룹을 넘나드는 우정을 쌓을 필요가 있다는 것이다. 그렇지 않으면 서로 간 잔인함을 경험하게 될 수도 있다."

책의 마지막에서도 주장한다. "우리의 삶은 얼마나 많은 적을 정복했느냐가 아니라 얼마나 많은 친구를 만들었느냐로 평가해야 함을. 그것이 우리 종이 살아남을 수 있었던 숨은 비결이다."(P.300)

진화, 과학적 실험, 연구 등 과학적 요소가 다분히 많이 나오지만, 저자들(브라이언 헤어, 버네사 우즈)의 개, 늑대, 보노보, 침팬지, 사람 등 종과 생명에 다가가는 친화적인 마음과 헌신적인 태도에 감탄할 따름이다.

주체적인 삶

샬럿 브론테, 제인 에어

"온 세상이 너를 싫어하고 너를 사악하게 여긴다 해도 네 양심에 거리낄 게 없고 죄가 없다면 네 곁에는 반드시 친구가 있을거야." 네플릭스 영화 <빨강 머리 앤>의 시작 부분에 나오는 대사이다. 앤이 열차 안에서 스펜서 부인에게 "제인 에어에 나오는 내용입니다. 제인 에어를 아시나요?" 라고 묻는다. 이는 앤의 과거의 생활이 '제인 에어'의 고난과 역경을 접하면서 깊이 각인되었음을 의미한다 하겠다. 앤이 극찬한 샬럿 브론테의 『제인 에어 Ⅰ, Ⅱ』 (우종호 옮김, 민음사, 2004)를 읽어본다.

샬럿 브론테는 1816년 영국 요크셔 주의 손턴에서 태어났다. 1825년부터 5년 동안 후일 『폭풍의 언덕』을 쓰게 될 동생 에밀리와 함께 집에서 독학으로 공부를 했다. 1831년 로헤드에 있는 사립 기숙학교에 들어가, 그곳에서 3년간 교사 생활을 한다. 1847년 『제인 에어』를 출간 커다란 호응을 얻으며 그녀에게 작가로서의 성공을 가져다 준다. 작품으로 브론테 자매의 공동 시집 『커러, 엘리스, 액턴 벨의 시집』과 소설 『교수』, 『셜리』, 『빌레트』 등이 있다.

이 소설의 시대적 배경은 19세기 영국의 영광 이면에 사회하층민의 잔혹한 착취를 숨기고 있던 빅토리아 시대 (1837 ~ 1901)이다. 빅토리아 시대는 전통적인 계급사회이자 가부장제 사회이다. 빅토리아 시대는 당대의 여성들에게 가정의 영역에서 희생과 헌신을 요구하며 이상적인 여성상으로 살아가도록 강요하였고, 여성들은 가부장제 사회의 억압과 차별 속에서 종속적인 삶을 살아야 했다.

저자는 먼저 자주적이고 주체적인 여성의 모습을 여주인공 제인을 통해 대변한다. 당대의 성적, 계급적 억압과 차별에 분노하며 전통과 인습에 반항하는 주제적인 여성상을 그려낸다. 제인은 어린 시절부터 성적, 계급적 차별을 겪으며 성장하지만, 사회적 억압에 직면할 때마다 그녀만의 장점인 이성과 분별력을 발휘하여 어려움을 극복한다. 이런 바탕에는 어릴 때부터 독서를 좋아한 점이 많이 작용한다. 그리고 로우드 학교에서의 신념을 갖고 충실히 생활한 덕분이기도 하다. "나는 열을 내었고 성공은 노력에 비례하였다. 기억력도 훈련 덕분에 좋아졌고 연습을 거듭함에 따라 이해력도 좋아졌다. 몇 주일 뒤에 나는 상급반으로 진급했고 프랑스어와 그림 공부 시작하는 것도 허용받았다." (p.131) 이는 소설이 진행되는 동안 등장 인물과 격의 없는 대화를 이끌어 내는 바탕으로, 제인이 사리에 밝고 나무랄 데 없이 얌전하고 지각 있는 사람으로 처신하게 한다. 자기 자신을 올바로 평가한다고나 할까?

또한 소설은 주인공 제인 에어가 자신의 삶을 스스로 개척해 나가는 면을 보여준다. 제인은 사회적 억압 앞에서도 자신을 낮추지 않는 당당한 면모를 드러낸다. 힘들고 어려운 선택의 기로에 설 때마다 강인한 정신과 이성적 판단으로 정체성을 잃지 않고 자신의 자아를 지킨다. 제인은 로우드 학교에서 8년간 머문 후, 자유를 갈망하면서 변화와 자극을 달라고 기원한다. "내가 원하는 것은 과연 무엇인가? 새로운 환경 속에서 새 사람들 틈에 끼어 새 집에서 새 직업을."

(p.154 1권) 직접 광고문을 내고 가정교사로 채용된다. 로체스터의 청혼 사건으로, 제인은 로체스터에 대한 사랑은 변함이 없지만 그의 정부(情婦)로 살 수 없다며 아무도 모르게 집을 나간다. "로체스터님, 저는 당신의 것이 되지 않겠어요." (p.157 2권) 이처럼 제인은 가혹한 운명과 환경에 굴복하지 않고 자신의 인생을 살아가고 진정한 사랑을 지켜내는 삶을 추구한다. 불후한 환경임에도 불구하고 독립적으로 자신의 삶을 개척해나가는 제인의 모습에 매료된다.

이 소설은 2권으로 방대한 분량이지만, 샬럿 브론테의 뛰어난 대사와 문체에 빠져들다보면 손에서 책을 놓지 못할 것이다. 고전이 이래서 오늘날까지 그 가치를 인정받음을 알 수 있게 해주는 책이다. 시대상황이 다르지만 오늘을 사는 우리에게 제인 에어처럼 삶을 주체적이고 지혜롭게 살기 위해 어떤 노력을 할 것인가 고민하게 해준다.

4장

열정

열정
스탕달, 파르마의 수도원

　"본인 의지가 아니라 제도나 조직에 의해 만들어진 관성은 때때로 우리를 옭아맨다." 시인 오은씨가 어떤 신문에서 쓴 글이다. 관성에 젖지 않으려고 애쓰는 것으로부터 진짜 내 모습을 발견할지도 모른다. 이렇듯 세상은 준비되지 않은 이에게 너무 잔인하고 냉정하다. 잃었던 희망, 열정, 삶을 되살리며 어떻게 살지 생각하게 해주는 소설이 있다. 스탕달의 『파르마의 수도원』 (원윤수, 임미경 옮김, 민음사, 2001) 이 그것이다.

　스탕달은 1783년 프랑스 그르노블에서 태어났다. 7살 때

어머니를 여의고 엄격한 아버지 아래에서 자랐으며, 외할아버지인 앙리 가뇽으로부터 문학에 대한 애착과 계몽사상을 물려받았다. 1800년 나폴레옹 군대를 따라 알프스 산맥을 넘었고, 러시아, 프러시아 원정에도 따라 다녔다. 1814년 나폴레옹이 몰락한 후로는 7년간 이탈리아에 머물면서 음악, 그림, 연극을 즐겼다. 저서로는 『연애론』, 『라신느와 셰익스피어』, 『아르망스』, 『로마 산책』, 『적과 흑』, 『앙리 브륄라르의 생애』 등 다수가 있다.

『파르마의 수도원』에서 먼저 다가오는 점은 주인공 파브리스가 간직하고 있는 순수성에 매료된다. 블라네스 신부는 파브리스에게 말한다. "위선자만 되지 않는다면 너는 아마 가치 있는 인간이 될 수 있을 거야" (p. 35 1권) 천진난만한 파브리스는 즐거움을 찾아다니는 일에는 대담하고도 열정적이었다. 모스카 백작은 " 그 청년의 미소는 얼마나 매혹적인가! 그 미소는 갓 피어난 젊음의 순수한 행복을 보여주고 또 그런 행복을 낳게 한다." (p.210 1권)며 주인공의 매력적인 모습에 놀란다. 스탕달은 주인공 파브리스를 통해 이 세상에서 진실한 것은 오직 사랑과 사랑이 가져다주는 행복뿐이라고 강조한다. 파브리스의 얼굴을 지켜보면, 생각이 필요한 어떤 자잘한 일에 부딪히면 눈은 생기를 띠어 사람을 놀라게 하고, 모두들 어리둥절하게 만드는 순진함과 자연스러움이 묻어나는 인물로 느껴진다는 것이다.

　읽다보면 영상을 보듯 표현한 배경 묘사가 독특하다. "작은 길을 따라 아담한 숲을 통과할 때마다 빽빽이 우거진 나무들이 별빛 총총한 데다 엷은 안개까지 감도는 하늘에 잎사귀들의 검은 윤곽을 그려냈다. 호수의 물결과 밤하늘은 깊은 고요 속에 잠들어 파브리스는 이 숭고한 아름다움에 넋을 빼앗겼다." (p.220 1권) 이 아름다운 표현에 빠지다 보면 소설이 어디로 흘러가는지를 잃어버릴 만큼 감동적이다.

　스탕달이 『파르마의 수도원』에서 주장하는 것은 행복을 가져다 주는 열정을 강조한다. 어떠한 사회적 제약이나 윤리 도덕적 구속도 없이 본능이 시키는 대로 삶의 순간을 누려야 한다는 것이다. 저자가 이상적으로 생각하는 정열적인 삶(열정)인 것이다. 이는 세속적인 이해 타산과는 거리가 먼 자발적이고 순수함에서 비롯되는 성격인 것이다. 주인공 파브리스는 사랑하는 여인을 볼 수 있다는 기쁨에 죽음이 도사리고 있는 감옥에서도 행복을 느낀다. "백작이 관할하고 있는 시립감옥에 자수하는 대신 그는 성채 감옥의 예전에 있던 방으로 되돌아간 것이다. 클렐리아 곁에 있을 수 있다는 사실에 몹시도 행복해하면서……." (p.270 2권) 주인공의 성격은 세속적 그늘 없는 순수한 열정 그 자체로서, 저자는 이런 것이야말로 행복을 가져다주는 열정이라고 피력한다. 순수하고 자발적인 욕망, 천진하기 때문에 아름다운 것들, 열정적이기 때문에 고상한 것들이 『파르마의 수도원』에는 중요한 이야기로 등장한다. 소설의 구성이 긴밀하다거나 사건 진행이 흥미로운 것이 아니라, 주인공과 얽혀 있는 관계 속에서 순수한 열정과 자연스러움이 행복의 세계인 꿈 속으로 하나하나 펼쳐보이면서 영상으로 다가온다. 삶은 완성되는 결말이 아니기에 그저 순간을 포착하는 것이 중요하다.

스탕달은 나폴레옹의 이탈리아 2차 원정군에 참가하였고, 나폴레옹을 따라 마렝고 전투에 참전하고 러시아 원정에도 직접 나섰다. 소설에도 '워털루 전투' 이야기가 『파르마의 수도원』 전반부에 나온다. 저자는 당대 사회와 정치에 대한 날카로운 분석과 비판도 많이 등장시킨다. 특히 파르마 공국의 정치적 거래와 궁정에서의 권력 다툼 등이 그러하다. "절대 권력이란 편리한 점이 있어서, 국민들의 눈앞이 모든 것을 신성화시켜 놓지요." (p.161 1권) 공화정 시절을 그리워하는 스탕달은 전제 군주제의 모순을 유쾌하게 비판한다.

나폴레옹의 몰락 이후 스탕달이 사회에 대해 느꼈던 이질
감, 그 세계에 자신의 자리가 없다는 의식은 스스로를 각성
하게 만든 것일까? 이 책은 세속적인 성공과는 무관한 행복
을 그려보임으로써 삶의 진정한 의미를 성찰하게 만든다. 대
충 살 수는 없는 요즘 어떻게 해야 갈피를 잡을 수 있을지 스
탕달을 통해 삶과 열정을 만나 보시길...

버스 여행

오르한 파묵, 새로운 인생

"어느 날 한 권의 책을 읽었다. 그리고 나의 인생은 송두리째 바뀌었다." (p.9)로 시작하는 소설이 있다. 첫 문장부터 마음이 끌려 책을 짚어 들었지만, 결코 쉬운 소설은 아니었다. 하지만 매력이 있는 책이다. 오르한 파묵의 『새로운 인생』 (이난아 옮김, 민음사, 2009)이다. 오르한 파묵은 인생과 소설을 동일시 하는 작가다. 이 소설에서도 자신의 작품 세계에 대한 새로운 모색과 인생의 고뇌를 색다른 구조로 이야기해 나간다.

오르한 파묵은 1952년 터키의 이스탄불에서 태어나, 이스

탄불 공과대학 다니다가 자퇴한다. 소설 쓰기에 전념하여 첫 작품인 『제브데트씨와 아들들』로 〈미리예트〉 신문의 소설 공모에 당선된다. 두 번째 소설 『고요한 집』으로 1991년 유럽 발견상을 받았고, 『하얀 성』을 발표하면서 파묵은 세계적인 작가의 대열에 오른다. 2006년 노벨 문학상을 수상한 그의 저서로는 『내 이름은 빨강』, 『눈』, 『흑서』 등이 있다.

어느 날 아름다운 여학생 자난을 보고 그녀가 들고 다니던 책을 구해 읽은 뒤, 주인공 오스만은 거부할 수 없이 한순간에 그 책에 사로잡힌다. 얼마 지난 후 그 책의 또 다른 추종자이자 자난의 연인인 메흐메트를 만나지만 그는 갑자기 사라진다. 자난과 그녀를 사랑하게 된 오스만은 그를 찾아 책이 안내하는 새로운 인생을 향해 기나긴 버스 여행을 시작한다.

먼저 저자는 주인공 오스만을 통해 그가 읽었던 책의 영향으로 끝없는 여행에의 환상을 추구한다. 그것은 새로운 세계에서 새로운 인생을 살 거라는 환상이다. 새로운 인생이란 단지 좋은 의미만은 아니다. 한마디로 말하면 시련 내지 고통이라 할 수 있다. 오스만의 여행을 통해서 보면 새로운 인생은 비교할 수 없는 극단적인 순간들을 의미한다. 책을 끝까지 읽어도 저자는 새로운 인생이 무엇인지 정확하게 표현하지 않는다. 즉 책의 영향으로 도달하고 싶은 새로운 인생이 어떤 의미인지를 한번도 명확하게 언급하지 않는다. 새로운 세계가 가상이라 할지라도 그것은 아름답고 매력적인 것이기에 독자들의 판단의 몫으로 남겨둔다. "우리는 길을 나섰지. 도시마다 여행을 했어. 삶의 표면을 만지며 그 색깔들이 숨기고 있는 것들 속으로 들어갔어. 찾으려 했지. 진실을 찾으려 했지만 발견하지 못했어." (p.119)

또한 저자는 자신이 살고 있는 터키 사회를 예리하게 관찰한다. 터키 사회의 민족 정체성 문제인 오스만 제국이 서구화 과정을 통과하며 치렀던 고통과 국제 이해 관계 속에서의 현대 터키의 문제들을 다룬다. 또한 종말을 향해 질주하는 현대 문명의 광폭한 버스 안에서 텔레비전의 영상에 몰두하느라 상상력을 잃어버린 현대인들에게 경고하기도 한다. 특히 오르한 파묵은 물질과 정신, 비디오와 문자가 대치하는 경계의 비정함 속에서 신음하는 군상들의 모습을 생동감 있고 예리한 감각으로 표현한다. "나는 시외로 가는 첫차 안에서, 삶과 죽음에 관한 수많은 질문과 함께, 기차를 움직이는 사람(기관사, makinist)과 영사기를 돌리는 사람(영사기사, makinist)이 우리나라에서 왜 같은 철자의, 프랑스에서 들여온 외래어로 불리는지 생각했다." (p.306)

세상과 책을 통해 새로운 인생을 알고 싶다면 오르한 파묵의 이 책을 읽어보시라. 인생은 사고가 있고, 외로움이 있고, 사랑이 있고, 슬픔이 있고, 빛과 죽음이, 그리고 있을 듯 말듯한 행복이 있다는 사실을 알게해 줄 것이다. 오르한 파묵의 매력적인 표현이 떠오른다. "이 세상에 존재하는 것이, 그리고 모든 사람들이 반복하는 가장 단순한 일상이 얼마나 큰 은혜인지를 현명하게 깨달아 알고 있는 그들은 거리를 달구는 금빛 햇살에 평온하게 녹아 가고 있었다." (p.365)

삶과 죽음
욘 포세, 아침 그리고 저녁

2023년 노벨문학상에 내정된 노르웨이 극작가 겸 소설가 욘 포세의 『아침 그리고 저녁』(박경희 옮김, 문학동네, 2019)은 말로 하기 어려운 것들을 표현하고 인간의 불안을 잘 드러낸다. 욘 포세가 집중하는 인간의 불안정성 및 불안을 독특한 산문 문체로 풀어낸다. 모든 사람의 공통 주제이기도 한 삶과 죽음을 특별한 언어로 이야기를 전개하는 이 소설에 빠지지 않을 수가 없다.

욘 포세(Jon Fosse)는 1959년 노르웨이의 해안도시 헤우게순에서 태어나 대학에서 비교문예학을 전공했다. 1983

년 소설 『레드 블랙』으로 데뷔했고, 1994년 첫 희곡 『그리고 우리는 결코 헤어지지 않으리라』를 발표한다. 2005년 노르웨이 최고의 문학상인 브라게상명예상 및 2015년 북유럽이사회 문학상을 수상했다. 그의 희곡은 전 세계 50여 개 언어로 번역되어 공연되고 있다. 저서로는 『3부작』, 『보트하우스』, 『멜랑콜리아』 등 다수가 있다.

전반부는 노르웨이의 작은 해안가 마을에서 주인공 요한네스라는 사내아기가 태어나는 과정으로 시작한다. 아이 아버지 올라이는 아내 마르타의 비명을 들으며 문 앞에서 불안해 한다. 후반부는 노인이 된 요한네스가 잠에서 깨어나 일어나는 아침 상황을 설명하면서 시작한다. 마을을 서성이는 늙은 어부인 요한네스 앞에 오래전 세상을 떠난 친구와 아내가 나타나기 시작한다.

먼저 욘 포세가 집중하는 것은 인간 내면이다. 아이 '요한네스'가 태어나는 순간 아버지 올라이가 인간 본질적으로 느끼는 걱정과 불안을 잘 드러낸다. "그런데 방안이 어째서 저리 조용할까? 뭐가 잘못되었나?" (p.15) 불안이 극에 달한 상태에서도 올라이는 긍정적인 생각을 거듭한다. "아니야. 늙은 안나가 아까 더운물을 가지러 부엌으로 왔을 때. 뭔가 잘못된 것 같아 보이지는 않았는데?" (p.15) 머리를 스치는 갖가지 생각들을 떨쳐 버려야 내면에 고요함이 찾아 든다고 저자는 암시한다. 인간의 심리에 한 갈음 한 걸음 다가가는 욘 포세의 표현들이 매력적이다.

무엇보다 소설의 특징적인 관심사는 어쩔 수 없는 죽음이다. 평범한 인물이 태어나고 죽음으로 향하는 과정은 인간이라면 부정할 수 없는 마음속 불안이다.

"사람이 어쩔 수 있는 일이 아니잖아, 언젠가는 우리 모두 차례가 오는 걸, 레이프가 말한다" (p.124) 불멸의 소재인 죽음을 저자는 마침표를 찍지 않는 특유의 문장으로 그려낸다. "싱네가 커튼을 젖히고 안쪽으로 들어간다 그리고 아버지는 어둑어둑한 침대에 누워 자는 것처럼 보인다, "(p.119) 또한 환각과 비슷한 상태에서 다가오는 죽음은 그가 살아오면서 느끼지 못한 것들을 느끼게 하는 동시에 확신했던 일들을 불확실하게 만들기도 한다. 한 사람이 태어나 살다가 죽어가는 과정을 소박하고 신비롭게 짜릿하게 그려낸다.

욘 포세의 작품은 그의 출신지인 노르웨이의 언어와 자연

환경에 뿌리를 두고 있다. "하늘과 바다는 둘이 아닌 하나이고 바다와 구름과 바람이 하나이면서 모든 것, 빛과 물이 하나가 된다" (p.134) 『아침 그리고 저녁』 에는 고된 삶을 살아온 평범한 노르웨이의 어부 요한네스의 인생 이야기가 주로 나온다. 하지만 소설을 접해보면, 우리에게 삶의 진정한 의미와 존재의 불안감에서 벗어 나는 팁을 알려준다.

삶의 의미
알베르 카뮈, 이방인

　프랑스 소설가 알베르 카뮈 탄생 110주년을 맞아 그의 대표적 소설 『이방인』 (김화영 옮김, 민음사, 2020)을 다시 읽어본다. 1942년 29세 때 첫 소설로 집필한 『이방인』을 낼 때만 해도, 카뮈는 프랑스 문단의 이방인이었다. 그러나 현재 카뮈를 모르는 사람이 이방인에 가까울 만큼, 그는 실존주의 문학의 대표적 작가이다. 『이방인』은 프랑스에서만 연평균 19만부가 팔리고 있으며, 전 세계 100여 개 언어로 번역되었다. 『이방인』은 현실의 모든 부조리에 반항하고 태양의 눈부심을 예찬했던 카뮈의 정신을 잘 반영하고 있다.

알베르 카뮈(Albert Camus)는 1913년 알제리의 몽도비에서 태어났다. 알제 대학교 철학과에 들어갔지만, 창작의 세계에 전념한다. 진보 일간지에서 신문기자 일을 하기도 한다. 1942년 『이방인』을 발표하고, 에세이 『시지프 신화』, 희곡 『칼리굴라』 등을 발표하며 왕성한 작품 활동을 한다. 마흔네 살의 젊은 나이에 노벨 문학상을 수상했다. 저서로는 『페스트』, 『오해』, 『반항하는 인간』, 『작가 수첩』 등이 있다.

주인공 뫼르소가 어느 날 엄마의 사망 전보를 받게 된다. 그는 별로 슬퍼하지 않으며 엄마의 장례식을 치른다. 이튿날 뫼르소는 여자 친구와 해수욕장에 가고, 영화를 보러 가고 잠자리를 함께한다. 어느 날 레몽을 찌른 아랍인을 만난 뫼르소는 그가 꺼낸 칼의 강렬한 빛 때문에 권총 방아쇠를 당겨 살인한다. 그리고 감옥에 갇혀 재판을 받는다. 관습과 예의를 넘어선 뫼르소는 결국 사형을 선고받는다.

이 소설은 '부조리'에 관해 강조한다. "인간은 계속해서 의미를 찾으려고 하는데, 도저히 내가 살고있는 이 세상에서는 의미가 찾아지지 않는 지점에서 인간이 느끼는 감정이 부조리이다.”라고 카뮈는 말한다. 인간과 세계 사이에는 필연적으로 모순이 빚어지고 이 관계 속에서 자연스럽게 반항이라는 감정이 생긴다는 것이다. 주인공 뫼르소가 저지른 사건임에도 불구하고 주변인들의 설명으로 진행되는 법정 심문은 뫼르소를 이방인으로 취급한다. “나를 빼놓은 채 사건을 다루고 있는 것 같았다. 나의 의견을 묻는 일 없이 나의 운명이 결정되고 있었다. “(p.120~121) 인간의 모든 행동을 논리적으로 설명할 수는 없는데도 말이다. 정해진 틀에 맞춰 뫼르소의 지난 행동들을 설명하려는 법정이 부조리인 것이다. 부조리한 세계에 직면해 묵묵히 진정한 나의 가치와 의미를 찾는 사람이 이방인으로 내몰리는 현실이 서글프다.

또한 저자는 이 소설에서 죽음을 인식하면서 삶의 소중함을 강조한다. 죽음은 『이방인』의 가장 강렬한 주제이기도 하다. 어머니의 장례식, 아랍인의 권총에 의한 피살, 주인공 뫼르소의 사형 선고로 죽음에 대한 명상이 그것이다. 물론 법정은 사형 선고를 내렸을 뿐 사형 집행은 소설에 언급되지 않는다. 인간은 반드시 죽는 운명에 처해져 있는 것이다. 죽음은 삶의 가치를 더욱 돋보이게 하는 어두운 바람이며 거울이다.

“내가 살아온 이 부조리한 전 생애 동안, 내 미래의 저 깊숙한 곳으로부터 한 줄기 어두운 바람이, 아직 오지 않은 세월을 거슬러 내게로 불어 올라오고 있었어." (P. 145) 결국 다가오는 죽음의 운명 때문에 삶은 의미가 없으므로 포기하는 것이 아니라, 이 한정된 삶을 더욱 열정적으로 살아야 한다고 저자는 강조한다. 삶이 얼마나 귀중한 것인지, 살아 있는 동안의 삶의 소중함을 카뮈는 이야기하고자 한다. "내가 처형되는 날 많은 구경꾼들이 모여들어 증오의 함성으로 나를 맞아 주었으면 하는 것뿐이었다." (p. 148) 뫼르소는 다가올 죽음 앞에서 무관심했던 사람들의 관심(즉 증오)를 통해 스스로의 삶을 반성하는 태도를 보인다.

81년 전에 씌여진 소설이지만, 현대에도 소외되어 이방인으로 살아가는 많은 사람들에게 강렬한 인상으로 다가온다. 존재에 대한 고민은 사라지고 남에게 보여지는 것만이 중시되는 오늘날 참다운 삶의 가치를 일깨워주기에 충분한 책이라 할 것이다. 특히 진실이나 사실 보다는 주장이나 선동이 난무하는 현실에 사는 우리에게 뭔가 울림을 던져 줄 것이다. 뫼르소라는 인물을 통해 부조리에서 벗어나 새로운 인간상을 제시하고자 하는 카뮈를 만나 보시길 바란다.

진정한 사랑

제인 오스틴, 이성과 감성

영국 BBC 방송국이 실시한 '지난 천 년간 최고의 문학가' 조사에서 셰익스피어에 이어 2위에 오른 작가는 제인 오스틴이다. 그녀의 『이성과 감성, sence and sensibility』(김순영 옮김, 펭귄클래식코리아, 2017)은 1811년 출간 이후 212년이 지난 지금까지도 전 세계인에게 사랑받는 작품이다. 진정한 사랑에 눈떠 가는 두 자매의 이야기 속에서 삶의 통찰을 접할 수 있다. 인터넷이 의사소통 수단으로 자리잡은 지 오래지만, 사람과 사람을 이어주는 소통의 중심에는 역시나 대화의 중요성이 있음을 잘 보여준다. 사람은 각기 다른 개성과 성향이 있기 마련이다. 이 소설에는 이러한 다양하고 매력적인 개성들을 만나보는 즐거움을 안겨준다.

제인 오스틴(Jane Austen)은 영국 햄프셔의 스티븐턴에
서 태어났다. 어린 시절 목사인 아버지로부터 폭넓은 독서
교육을 받았다. 1794년에 훗날 '노생거 수도원'이란 제
목으로 출간될 미완의 소설 『캐서린』을 집필하면서 소설
을 쓰기 시작했다. 1809년 햄프셔의 알턴 인근 초턴에 정착
한 뒤 일생을 독신으로 소설 집필에 몰두하다 41세의 나이
로 생을 마감한다. 저서로는 『오만과 편견』, 『맨스필드
파크』, 『에마』, 『설득』 등이 있다.

이성적이면서도 차분한 언니 엘리너는 이성으로, 직설적
이면서도 감성이 풍부한 동생 메리앤은 감성으로 대표되는
인물이다. 세상은 돈과 이해타산으로 움직이지만, 대시우드
자매에게는 돈이나 인맥이 없다. 분별력이 있고 예의범절을
중시하는 엘리너는 루시 스틸처럼 남자의 재산을 노리는 경
쟁자를 상대하기가 쉽지 않다. 자신의 감정에 충실한 까닭에
파렴치한 남자에게 쉽게 마음을 연 메리앤은 어려운 일을
당한다.

먼저 저자는 진정한 사랑의 의미는 무엇인가?를 묻는다. 당시 사회적 상황은 여성이 사회적 신분을 유지하고 경제적 안정을 추구할 수 있는 유일한 방법은 결혼이었다. 소설은 연인이라는 인간관계를 맺고 결혼까지 나아가는 과정에서 나를 깨닫고 상대방을 이해하는 통찰의 지혜가 담겨 있다. 저자는 사랑을 통해서 어떻게 나를 알게 되는지, 사랑하는 대상을 선택하기 위해서 타인을 관찰하고 분별하는 능력이 왜 중요한지를 강조한다. 진실한 애정이 없기에 신뢰와 약속은 얼마나 허망한 것인가를 에드워드와 루시의 관계를 통해 잘 보여준다. "제가 어리석고 나태했기 때문입니다. 몇 달 동안 그녀와 거리를 두며 할 일이 있었더라면, 세상 사람들과 섞이면서 그 애정과 환상에서 금방 벗어날 수 있었을 겁니다." (p.445) 제인 오스틴은 우리가 사랑의 모습이라고 착각하기 쉬운 열렬하고 뜨거운 사랑의 순수함은 순진한 진심일지는 몰라도 완성된 사랑의 형태는 아니라고 주장한다. 즉 사랑이란 서로에 대한 진실한 애정과 변치 않는 신의를 지킬 때 비로소 완성된다고 말한다.

저자는 작품 속에서 인물들을 입체적으로 묘사한다. 가장 흥미로운 인물은 메리앤과 에드워드이다. 시련의 극복과 내적 성숙의 특징을 대표한다. 메리앤은 결국 병을 얻어 사경을 헤매고 나서야 잘못을 깨닫게 된다. 즉 다행히도 메리앤은 치명적 열병을 앓은 후 좀 더 분별력 있게 세상을 바라보기 시작한다. "몸이 아프니까 오히려 생각을 하게 되더라. 진지하게 사색해 볼 시간과 마음의 여유가 생기더라고. 과거를 돌이켜볼 때마다 소홀히 넘겼던 나의 의무와 내가 저지른 잘못들을 알겠어." (p.425~426) 메리앤은 이성에 의해서 끊임없이 무언가를 함으로써 통제할 수 있음을 보여주는 변화의 의지를 밝힌다.

에드워드는 내성적이지만, 시간이 흐르면서 점차 드러나듯이 사안에 대하여 그 누구보다 설득력 있고 진지한 견해를 보인다. 돈이나 명성 혹은 자리보다는 사적인 평온을 중시하고 자기만의 삶을 살려는 태도가 매력적이다. "에드워드는 모든 면에서 자신의 의무를 기꺼이 이행했고, 장남의 권리를 차지한 동생과의 운명을 바꾸기를 조금도 원치 않았다." (p.463) 나아가서는 아름다움과 쓸모가 결합되어야 한다는 에드워드의 의식도 각별하다. "여기저기 흩어져 있는 골짜기는 편안하고 아늑해 보입니다. 제가 생각하는 멋진 시골에 꼭 맞는 곳입니다. 아름다움과 효용성이 함께 있으니까요." (p.126) 에드워드는 얌전하고 수줍음이 있긴 하지만, 신의를 중시하고 부와 명예에는 욕심이 없는 소박한 성품의 인물이여서 호감이 간다. 이렇듯 오스틴은 인물들의 독특한 특징을 살려, 삶이 너무 일상적이지 않는 다양하고 새롭게 살아가는데 초점을 두고자 한다.

제인 오스틴의 소설은 시대를 뛰어넘어 보편적인 삶의 지혜를 던져 준다. 작품에는 각기 다른 가정 배경과 성격을 지닌 인물이 등장한다. 『이성과 감성』은 사랑을 통해서 어떻게 나를 알게 되고, 사랑하는 대상을 선택하기 위해서 상대방을 관찰하고 분별하는 능력이 왜 중요한지를 생각해 보게 한다. 저자는 성장의 아픔은 물론이고, 진정한 사랑과 진실을 얻기 위해 얼마나 많은 고통을 겪어애 하는지 이야기한다. 제인 오스틴의 소설을 통해 우리의 삶을 돌아보고 성찰할 수 있는 소중한 시간을 가져 보시길 바란다.

【부록】 읽은 책

1장. 자기 앞의 생

레이먼드 카버,김연수 옮김, 『대성당』 문학동네,2014

에밀 아자르,용경식 옮김, 『자기 앞의 생』 문학동네,2015

루이제 린저,박찬일 옮김, 『삶의 한가운데』 민음사,2015

아니 에르노,최정수 옮김, 『단순한 열정』 문학동네,2022

김훈, 『하얼빈』 문학동네,2022

2장. 인생

박경리, 『김약국의 딸들』 마로니에북스,2015

J.네루,곽복희,남궁원 옮김, 『세계사 편력 Ⅰ,Ⅱ,Ⅲ』 일빛,2005)

헤르만 헤세,전영애 옮김, 『데미안』 민음사,1997

김연수, 『이토록 평범한 미래』 문학동네,2022

김지수, 『이어령의 마지막 수업』 열림원,2021

3장. 주체적인 삶

정지아, 『아버지의 해방일지』 창비, 2022

프란츠 카프카, 전영애 옮김, 『변신』 민음사, 1998

로랑스 드빌레르, 이주영 옮김, 『모든 삶이 흐른다』 피카, 2023

브라이언 헤어, 버네사 우즈, 이민아 옮김,

『다정한 것이 살아남는다』 디플롯, 2021

샬럿 브론테, 우종호 옮김, 『제인 에어 Ⅰ, Ⅱ』 민음사, 2004

4장. 열정

스탕달, 원윤수, 임미경 옮김, 『파르마의 수도원』 민음사, 2001

오르한 파묵, 이난아 옮김, 『새로운 인생』 민음사, 2009

욘 포세, 박경희 올김, 『아침 그리고 저녁』 문학동네, 2019

알베르 카뮈, 김화영 옮김, 『이방인』 민음사, 2020

제인 오스틴, 김순영 옮김, 『이성과 감성』 펭귄클래식코리아, 2017

JH의 서평쓰기

– 쉽게 다가오는 서평 –

발 행 | 2024년 1월 9일

저 자 | 김종협

펴낸이 | 한건희

펴낸곳 | 주식회사 부크크

출판사등록 | 2014.07.15.(제2014-16호)

주소 | 서울특별시 금천구 가산디지털1로 119

      SK트윈타워 A동 305호

전 화 | 1670-8316

이메일 | info@bookk.co.kr

ISBN | 979-11-410-6568-3